Bastian, Adolf

Europaeische Kolonien in Afrika

und Deutschlands Interessen sonst und jetzt

Bastian, Adolf

Europaeische Kolonien in Afrika

und Deutschlands Interessen sonst und jetzt

Inktank publishing, 2018

www.inktank-publishing.com

ISBN/EAN: 9783750117099

EUROPÄISCHE

KOLONIEN IN AFRIKA

UND

DEUTSCHLANDS INTERESSEN

SONST UND JETZT.

BERLIN
FERD. DÜMMLERS VERLAGSBUCHHANDLUNG
HARRWITZ UND GOSSMANN
1884.

Seitdem die Colonialfrage in Deutschland regelmässiger auf die Tagesordnung gestellt ist, in den Leitartikeln der Blätter nicht nur und den Broschüren, die sie behandeln, sondern auch in colonialen Vereinigungen, beginnen die bisher theoretisch gepflogenen Erörterungen sich jetzt auch practisch fühlbarer zu machen. Es handelt sich nicht einfach mehr länger um Worte, um Ansichten individueller Neigung, sondern um den Geldpunkt, zugleich, beim Staatssäckel sowohl, wie für den des Capitalisten, der zu Actienunternehmungen aufgefordert wird. Desto emsiger wird darnach gesucht, auf die unerwartet neu herantretenden Fragen ihre Beantwortung zu finden, und jeder bemüht sich, sein Scherflein dazu beizutragen, so dass die Aussprüche noch verschieden lauten in dem einen oder andern Sinne. Das plötzliche Auftauchen fremdartig anlugender Gesichtspunkte, die bisher nur aus der Ferne und somit gleichgültiger beschaut waren, hat beim Nähertreten derselben mancherlei Ueberraschungen mit sich gebracht und oft einen störenden Eindruck im Vergleich zu bisher als bequemes Ruhekissen geltenden Maximen. In einer Zeit, wo bei den bereits fertig stehenden Colonialmächten Stimmen laut werden, ob diese, ihre geschichtlich hervorgerufene, Stellung eine haltbare bleiben möchte oder mit den nationalökonomischen Principien der Gegenwart entsprechende Aenderungen zu erhalten haben würde; in einer Zeit, wo England seine „schwere Last“ (Bright's „great burden“) nur unwillig zu tragen (und unschädliche Ablösung einiger Colonien vorzubereiten) scheint; in einer Zeit, wo Holland manche seiner Colonialanhängsel[1]) abzuschütteln wünscht, wo Dänemark und Schweden

1) De schrijver (Het Norden, 15 Febr.) wil niet alleen, hetgeen ik zeer verklaarbaar vind, dat Nederland afstand doe van zulk een koloniaal fossil als onze bezittingen ter Kuste van Guinea, maar hoopt ook, dat achtereenvolgens onze West-Indische Kolonien, Borneo, Celebes en de Molukken zal vervreemden, om zich voortaan uitsluitend tot het bezit van Java, Sumatra, en de tineilanden te bepalen (1871). De schrijver van bovengenoemd artikel grondt zijn zonderling betoog vooral hierop, dat het kleine Nederland niet bij machte is, die talrijke eilanden van den Archipel naar behooren te ontwikkelen. Voor het tegenwoordige stem ik dit toe; het is een der schadelijke gevolgen dat wij ons met en zonder noodzakelijkheid te snell hebben uitgebreid. Hij vergeet echter geheel, dat ieder der tegenwoordige koloniale mogendheden niet minder rijk voorzien is van zulke naar beschaving snakkende bezittingen. Engeland bijvoorbeeld heeft, om van zijn nederzettingen in West-Afrika te zwijgen, er een aantal in verschillende „non-regulated provinces“ en vazalstaten

1*

den Rest ihrer Colonialbesitzungen verkaufen, — könnte es im ersten Augenblicke Wunder nehmen, dass ein Staat, der bisher seine Stärke in dem Nichtbesitz von Colonien zu finden meinte, (um unter den durch derartigen Besitz auferlegten Verpflichtungen und Verwickelungen freie Hand zu bewahren), dass ein Staat wie Deutschland, (der trotz solchen Ausfall's an Colonialbesitz in commercieller und industrieller Entwickelung der letzten Jahre seine mit Colonien gesegneten Rivalen verschiedentlich aus dem Felde geschlagen), dennoch eifrig darauf bedacht sein sollte, in die Bahnen einer Colonialpolitik einzulenken, welche man als längst vergangenen Tagen angehörig dem Verfall überlassen zu können meinte, um sich den neueröffneten Strassen internationalen Verkehrs zuzuwenden.

So der erste Eindruck! der freilich, wie gar manchmal, täuschen mag und jedenfalls auffordert, in Detailbetrachtungen einzutreten, da sich das hier gestellte Problem mit den gewichtigsten Interessen der Volkswohlfahrt verknüpft.

Von vornherein kann die Volksstimme selbst, als gewichtigste in diesen Dingen, nicht überhört werden, wenn sie so laut wie heutzutage sich für die Colonien ausspricht, besonders angeregt durch das Brennen der socialen Frage und der in gesunder Regelung der Auswanderung gesuchten Heil- oder doch Linderungsmittel.

In verdienstlicher Weise sind deshalb überall patriotische Männer zusammengetreten, um über die zeitgemässe Leitung deutscher Auswanderung in Berathungen einzugehen, und dass diese unter sachkundiger Führung, mit umsichtiger Vornahme der einschlagenden Untersuchungen, zu erspriesslichen Resultaten führen werden, ist um so eher zu erwarten, weil die Localitäten, welche überhaupt für gegenseitige Abschätzung zur Erwägung kommen könnten, in fest umschriebenen Grenzen vorgezeichnet sind, geographisch und klimatologisch.

Dabei wird es sich, um die bereits vorhandene Zersplitterung nicht noch zu mehren, aus einfachster Klugheitsmaxime angerathen zeigen, den Anschluss möglichst dort zu wählen, wo Centren für deutsche Colonisation bereits vorliegen, und sobald hierüber ein Einverständniss hergestellt ist, erleichtert sich der Ueberblick derjenigen Areale, welche vorwiegend in Betrachtung zu ziehen wären, bei den verschiedenen Continenten.

In Amerika hat bisher das Gebiet der Vereinigten Staaten den hauptsächlichsten Abzugscanal für die deutsche Einwanderung gebildet, die, sofern dorthin fortdauernd, dann besonders auf solche Staaten zu lenken wäre, wo das deutsche Element bereits durchschlagender mitspricht. In Südamerika

---

van Britisch-Indie. Wanner daarentegen de staten van Europa, die nog geene kolonien bezitten, zoo als het Duitsche Rijk, Italie, Oostenrijk zich die luxe sonden willen aanschaffen, moesten ze met blindheid geslagen zijn, indien ze het eerst het oog vestigden op zulke uitgestrekte landen als Nieuw-Guinee of Borneo, waar door de geringe, geheel of half wilde bevolking het allereerste gegeven voor een goede veroveringskolonie ontbreekt (van der Aa).

tritt am bedeutungsvollsten das mit der Zugänglichkeit (früher abgeschlossenen) Paraguay's eröffnete Gebiet hervor nebst weiten Territorien ringsum, in der am La Plata aufwachsenden Republik sowohl, wie in den Provinzbezirken brasilianischer Monarchie —, und ausserdem findet sich ein nucleus für deutsche Auswanderung in Valdivia vorhanden. Unter den australischen Staaten des Continents überwiegt das deutsche Element in Adelaide, und was etwa in Südafrika sich verwirklichen möchte, im Anschluss an frühere Projecte über Hafenplätze an der Küste Mozambique's, sowie im Hinblick auf die unabhängige Stellung, der von den Booers ausgegangenen Ansiedelungen im Binnenlande, ist kürzlich wieder in ernstliche Ueberlegung gezogen worden, deren Ergebnisse erweisen werden, ob oder wie hier vorzugehen sein dürfte.

Auf solche Unterlagen hin wäre nun, soweit die Auswanderung betreffend, die Colonisationsfrage zu behandeln, wogegen sie sich auf einer durchaus anders ausschauenden Basis bewegt, wenn diejenigen Fragen beantwortet werden sollten, welche, in directerer Beziehung zum deutschen Handel und dessen zeitgemässer Fortentwickelung, ausserdem gestellt und desshalb, in solcher Form ebenfalls, zu beantworten sind.

Hiermit, mit den Gedankenbildern über eine Pflanzungs- oder Bergwerkscolonie, Eroberungs-Colonie u. dgl. m., beginnen nun die Schlussziehungen etwas wirrig sich zu durchweben, — nach Dem zu urtheilen, was in Wort und Schrift der Tagesproductionen neuerdings aufgetischt geboten wird. Da in Deutschland bis auf jüngste Zeit wenig Veranlassung vorlag, zur Beschäftigung mit überseeischen Verhältnissen, fehlt, leicht erklärlich und entschuldbar, eine deutliche Begriffsbildung dessen, was unter Colonien, ihrer historischen and geographischen Bedeutung nach, für die heutigen Aspecten des socialen Horizontes zu verstehen sein würde. Dasjenige was bei den Vorstellungen darüber schaffend thätig ist, bewegt sich innerhalb nächstliegender Ideenassociationen, welche derartig mundgerecht und geläufig geworden sind, dass an eine Vorprüfung nicht länger gedacht wird. Eine solche gilt überflüssig, denn dem für Colonieen plädirenden Anwalt steht sein Ideal sonnenklar bereits vor Augen, indem ihm vorzuschweben pflegt, was bei den hervorragendsten Colonialmächten der Neuzeit, bei England und Holland, sich verwirklicht hat, — und zwar bei England doppelt, in sogenannten Auswanderercolonien sowohl als Pflanzungscolonien, bei Holland wenigstens in den letzteren.[1]) In beiden Fällen sind die für naturgemäss historisch-normale Entwickelung allein gültigen Grundsätze durch geographische Bedingnisse streng und scharf umschrieben, sowie von einander verschieden, (ob Auswanderung oder ob Handel in Frage kommt), so dass der Standpunkt der Betrachtung ein durchaus getrennter bleibt, und

1) Abgesehen von dem, was sich bei fortdauernd holländischer Besetzung am Cap hätte entwickeln können und gegenwärtig unter Aufnahme fremdartiger Elemente unter den Boors in eigenartige Entwickelung einzulenken beginnt.

für die Ackerbaucolonien bietet sich (wie bereits bemerkt) bei einem Umblick der geographischen Provinzen sogleich eine deutliche Erkenntniss dessen, was zu früherer Zeit, bei erster Aufschliessung neuer Gebiete im Entdeckungszeitalter, damals historisch verwirklichbar war und sich unter günstigen Verhältnissen demgemäss verwirklicht hat, sowie dessen, was bei den jetzt verhältnissmässig ungünstigeren, trotz derselben, vielleicht auch gegenwärtig noch zu erspriesslicher Entwickelung gezeitigt werden möge.

Bei den Pflanzungscolonieen sind, um den Beobachtungskreis für reine Anschauungsobjecte zu klären, zunächst diejenigen auszuscheiden, für welche die Rentabilität, während einer Geschichtsepoche dreier Jahrhunderte, nur unter den damals, betreffs des Sclavenhandels[1]), natur- und völkerrechtlich adoptirten Principien ermöglicht war, indem seit Verurtheilung desselben, damit auch über manche derartige, vorher blühende Colonie ihr Todesurtheil gesprochen war und die in der Zwischenzeit gesammelten Erfahrungen hinsichtlich anderer Arten der Arbeitsversorgung noch nicht genügende Anhaltspunkte für eine allgemeine Entscheidung über Lebensfähigkeit gewähren, so dass sich diese Frage nur unter den Specialbedingungen jedes einzelnen Falles mit Ja oder Nein beantworten lassen würde.

Es blieb also für das, was in der Mehrzahl der Köpfe, (unter der grossen Masse des Publikums), mehr oder weniger unklar mit einer Colonie gemeint (und je nach der Phantasie, aus dieser geschmückt) ist, als durchschlagendes Prototyp dasjenige übrig, was bei England und Holland im Laufe der letzten Jahrhunderte eine feste Begründung bereits erhalten hat und bei Frankreich seit wenigen Jahren, unter Wiederaufnahme früher fehl geschlagener Versuche (und augenblicklich besseren Aussichten auf Erfolg), in der Begründung begriffen wäre.

Obwohl Englands Colonien über den gesammten Erdball verbreitet sind, begründet sich doch sein Character als Colonialmacht, seit der Abtrennung der Vereinigten Staaten, vornehmlich auf den Besitz Indien's, sowie der Holland's auf den seinigen Java's. In beiden Fällen, wie deutlich

1) Durch den Friedensvertrag von Amiens erhalten wir unsere Niederlassungen zurück, allein derselbe würde in Bezug auf diesen Theil der Erde ohne Zweck und Nutzen sein, wenn man den Sclavenhandel nicht wieder einführte. Da nun aber dieser Handel schon beschlossen ist (26. März 1802), so kann man mit Recht hoffen, dass er bald wieder blühen werde, besonders wenn man den Schiffen, die zum Sclavenhandel ausgerüstet werden, eine Belohnung verspricht. Diese betrug nach dem Beschlusse des geheimen Rathes v. J. 1786, den 26. October für die Tonne vierzig Livres, doch würde es vortheilhaft sein, wenn man sie erhöhte und für jeden in unsere Colonien eingeführten Schwarzen fünfzig Livres bestimmte (P. Labarthe) 1803 (s. Bergk). Gonzalez war der erste Portugiese, der 1442 statt der bisher geraubten Afrikaner wirkliche Negersclaven (Schwarze mit wolligem Haar) zurückbrachte (s. Sprengel), nachdunkelnder Bräunung (der Mohren oder Mauren). The trade commenced by Capt. Hawkins was legalised in Great Britain for nearly two centuries, and was even under royal patronage (the apostle of the trade was knighted on his return by Queen Elizabeth).

vor Augen liegt, erwuchs das Colonialreich dadurch, dass ein alter, dicht bevölkerter Kulturboden in Besitz genommen wurde, gelegen unter den denkbar günstigsten Bedingungen üppig reichster Fruchtbarkeit, und bereits versehen mit der vollsten Arbeiterzahl, die dort zusammengedrängt werden konnte.

Beim Festhalten dieser massgebenden Vorbedingungen, wird der ganze Wirrwar dessen, was sich über Colonien zusammenschreiben und -reden lässt, auf bequemste Vereinfachung reducirt. Man nehme also einfach eine Weltkarte zur Hand und frage sich selbst, wohin die Hand zu legen wäre, um noch auf einen gleichgearteten Boden für eine Colonie zu treffen.

Amerika fällt von vorneherein an sich aus bei den gegenwärtigen politischen Verhältnissen dieses Erdtheils; Afrika hat mit Ausnahme Aegypten's und der Mittelmeerländer nie eine alte Cultur besessen noch eine seiner Grösse entsprechende Bevölkerungsdichte (wird indess, als mit jüngsten Entdeckungsreisen neu aufgeschlossen, auch neue Probleme stellend, seine besondere Besprechung zu erhalten haben), und die in Oceanien zerstreuten Inselgruppen, — obwohl bei ihrer Abschätzung wieder ungleichwerthig und deshalb nicht sämmtlich in eine Linie zu stellen —, würden im Allgemeinen (und so lange von einer Specialisirung der einzelnen Fälle, die in Ueberlegung kommen könnten, abgesehen wird), jene beiden durchgreifenden Vorbedingungen, alten Culturboden und dichte Bevölkerung, deutlichster Weise entbehren.

Gesucht werden könnte also nur in Asien. Wo aber dort? nach Abzug Indien's und Java's, und etwa der Philippinen, wenn sie Spanien auszunutzen verstände? Wo sonst auch dort? wenn man China und Japan zu umgehen hat, auch Siam selbst, um nicht mit der Diplomatie in Conflict zu kommen.

In Java wurzelt Hollands coloniale Grösse, und die übrigen Inseln, die sich anhängen, wäre es mit Ausnahme von Sumatra (minus Atschin) und Bangka (nebst Annexen) eben so gerne — ja lieber noch — los, sofern das Prestige dies erlaubte.

Aus indischem Kaiserreich strahlt Englands Macht und Herrlichkeit empor, vorwiegend allerdings mit dem Schwerpunkt auf der vorderindischen Halbinsel. So bleibt demnach Hinterindien, für seine grössere Hälfte wenigstens, und dies ist, was die französische Regierung in der elften Stunde mit richtigem Blicke zu erfassen wusste und was sie jetzt seit der Besitznahme Tonkings in den Prospecten grossartigster Zukunft über Kambodja hin und bis an die Grenzen Yunan's zu begreifen beginnt und verwirklichen wird, wenn die Abstreitung französischer Colonisationsfähigkeit sich widerlegen sollte, in der Logik der Thatsachen.

Dies war es auch, was bei dem Friedenschlusse 1871 in Erwägung stellte, ob etwa für eine Abtretung Saigons agitirt werden sollte, indem damals bereits Stimmen laut wurden, welche für Deutschland gleichfalls die Begründung eines Colonialreiches verlangten. So lag es klar und deutlich vor Augen, dass, wenn dieses überhaupt, es sich einfach nur verwirklichen könne bei solcher letzt noch gebotenen Gelegenheit in Cochinchina, und derartige Darlegungen bildeten das Motiv für die damals veröffentlichte Broschüre: „Deutschland's Interessen in Ostasien", (Berlin 1871[1]).

Gegenwärtig ist es auch hierfür zu spät, — zu spät für den indischen Archipel, für Vorderindien längst, so jetzt auch für Hinterindien gleichfalls, (um bei den freundschaftlich cordialen Beziehungen zu Siam, dieses zwischen englischen und französischen Prätensionen eingeengte und geängstete Königreich aus dem Spiele zu lassen).

Zu spät also, zu spät für ein deutsches Colonialreich im englischen und holländischen Sinne, und wer sich bemüssigt fühlen sollte, diese These des „Trop tard" auf dem Boden geographischer Thatsachen und colonialgeschichtlicher Lehren zu widerlegen, dem steht Schreiber dieses für fernere Discussionen jederzeit zur Verfügung.

Auf dem solide fundamentirten Mutterboden unserer Erdfeste ist momentan kein Raum mehr übrig, und wer auf die in Luftschlösser aufgebauten Utopien Handfesten und Hypotheken verlangt, wird sich in der idealistischen Rechnenkunst eines höheren Calcul's zu rechtfertigen haben, um nicht etwa der Schwindeleien bezüchtigt zu werden. Sonst könnte es ihm gehen, wie jenen feinen Köpfen in Paris, die vor einigen Monaten (Zeitungsnachrichten gemäss) für die Colonisirung oder Cultivirung der „zwar etwas trockenen, jedoch fruchtbaren Sahara" 400 000 Francs entnahmen, von den „Dummen, die nicht alle werden", aber mittelst nüchterner Trockenheit eines Richterspruche's hinter Schloss und Riegel unschädlich gestellt wurden.

Die Unerlässlichkeit jener zwei Vorbedingungen für eine Colonie, in der Form einer sogenannten Pflanzungscolonie, nämlich fruchtbarer Boden und dichte Bevölkerung, ergiebt sich allzu selbstverständlich, als dass Verschwendung fernerer Worte darüber gerechtfertigt wäre. Wer im Privatleben seine Ehre daran setzte, Land zu erwerben, das als nutzlos unfruchtbar vor Augen liegt, würde Gefahr laufen, unter Curatel gestellt zu werden, und wer also durch falsche Prämissen zu gleichen Missgriffen veranlassen sollte, könnte mit oder ohne Wissen einer Vergeudung derartiger Gelder beschuldigt werden, oder würde doch, wenn selbstempfohlener Rathgeber, um den Nachweis der Befähigung angegangen werden, wann später für die Folgen einzustehen ist. Allerdings mag die Ergiebigkeit eines für Ackerbau unfruchtbaren Bodens, ausser im Bergbau, von den Producten der Jagd geboten sein, doch werden dann derartig weite Strecken einbegriffen sein, dass eigentlich staatliche Organisation der sparsamen Bevölkerungsmenge nicht lohnen kann, und die Ausbeute nur unter loserer Form möglich ist, durch Uebertragung an eine Gesellschaft z. B. wie bei der Hudson-Bai-Compagnie u. dgl. m. Für direkten Annex einer Colonie, nach dem Schema der Civilisation, setzt

1) Siehe Anhang.

sich der Ackerbau, oder Industrie, vorans und also bereits vorhandene Bevölkerung, da künstliche Arbeitereinführung zu den Künsteleien gehört, die glücken oder missglücken mögen. Naturgemäss ausführbar kann sie sich nur dann beweisen, wenn das Terrain, seinen klimatologischen Verhältnissen nach, dem des Mutterlandes ein gleichartiges ist, also der Surplus der Bevölkerung dieses dorthin verführt werden kann, in Verbindung der Auswanderung mit der Colonisation. Dieser günstigste Fall lag vor bei Ansiedelung des neuen England auf westlicher Hemisphäre,. von „Old-England" aus, und hat also nun auch hier seine grossartig günstigen Resultate geliefert, aber nur als Einmalfall in der Weltgeschichte, der sich in gleichem Masstabe nicht wiederholen kann, wie aus den Lehren der geographischen Provinzen jedem Tiro all zu selbstverständlich vor Augen liegen wird, als dass ein weiteres Wort darüber verloren zu werden braucht.

Schon, was auf südlicher Hemisphäre in den geographisch-klimatologisch correspondirenden Lokalitäten erreicht wurde, schrumpft in kleinere Dimensionen zusammen, in Australien wegen des verhältnissmässig ungünstigeren Bodens und in Neu-Seeland bei der Enge topographischer Grenzen. Dann bleibt das ausserhalb der Tropen fallende Areal in Südamerika, das für ein Klein-Deutschland in Aussicht genommen ist, und das sich, seinen topographischen Dimensionen nach zu einem Gross-Deutschland gestalten könnte, gleich der „Magna Graecia" bei griechischer Colonisation von Italien. „In Südamerika soll ein herrliches Neu-Deutschland erblühen" (E. v. Weber), und bei den günstig bereits vorhandenen Voranlagen käme es jetzt darauf an, ob sie mit richtigem Blick richtig zu verwerthen, von denen verstanden werden wird, die ihre Blicke dorthin bereits gerichtet haben.

Gehen wir also zu Afrika über, zu einem durch die, in den Entdeckungen der letzten Decennien unerwartet neuen, Aufschlüsse in Neugestaltung veränderten Continente, bei welchem deshalb noch manches zu diskutiren offen bleibt, so dass hier nicht, wie bei den länger bekannten Theilen der Erde apodiktisch geredet werden darf, weder für die geographischen Thatsachen, die für die wichtigsten Punkte gerade noch ihrer Aufhellung und Bestätigung bedürfen, noch für die Erfahrungen der Kolonialgeschichte, welche selbstverständlich einem Boden nicht entnommen werden können, welcher ihnen bisher entzogen, keinen Spielraum gewähren konnte, sich darauf zu versuchen.

Wollten wir nur bei dem verbleiben, was aus bisheriger Colonialgeschichte Afrika's (oder vielmehr: aus der Colonialgeschichte des bisher bekannten Afrika) zugänglich und bekannt ist, dann freilich würden wir mit diesem Continente noch rascher fertig sein als mit den übrigen, weil für erspriesslich gesunde Entwicklung völlig werthlos, und in manchen Fällen mehr als werthlos, weil sogar schädlich. Diese Formulirung, die bis vor kurzem zu vertheidigen gewesen wäre, hat seit den letzten Decennien, wie gesagt, ihre Berechtigung durchaus verloren, da an dem durch neue Entdeckungen völlig neu- und umgestalteten Continente auch mit einem objectiv unbeeinflussten

Massstabe der Betrachtung herangetreten werden muss. Ueber Afrika's Zukunft unfehlbar orakeln zu wollen, würde von anmassender Ueberhebung nicht nur, sondern zugleich von unbedachter Thorheit zeugen, da es hier gar Vieles noch zu lernen giebt, und gelehrteste Maximen, so wahr sie heute auch erscheinen, morgen bereits durch ein kleines Factum über den Haufen gestürzt sein könnten, das einem unserer verdienstvollen Reisenden zu verdanken sein möchte. So bleibt Afrika's Frage unter den colonialen eine vorläufig offene, unter den Aspecten der Jetztzeit.

Versetzen wir uns indess zunächst fünfzig Jahre zurück, vor die Aera der, die Neugestaltung Afrika's einleitenden Entdeckungsreisen (Barths und Livingstones), um das damalige Bild afrikanischer Colonien in Betracht zu ziehen.

Irgend etwas, was sich mit einem Colonialreich in Parallele stellen liesse, hat es dort nie gegeben, noch geben können, und auch die für Auswanderer-colonien verlangten Unterlagen fallen aus, bis auf die aus den Tropen hinausragende Südspitze am Cap. Vergleichungsweise hat die Capcolonie nur ein ziemlich kümmerliches Dasein gefristet sowohl zu holländischen wie zu englischen Zeiten; doch darf dies, weil aus der Ungunst manch' geschichtlicher Complicationen ganz oder theilweise erklärbar, nicht ohne weiteres zur Last gelegt werden, und würde also die Capcolonie, mit weiterem Umblick bei den Boers in Transvaal, ein besonderes Capitel der Separatbehandlung erfordern bei einer für Besprechung der Auswanderercolonien etwa veranlassten Gelegenheit.

Ebenso würde sich möglicherweise für manche der aus bisher unbekanntem Innern entgegengetretenen Punkte Afrika's das Problem der Auswanderer-colonien zwischenschieben lassen, während es von vornherein ausserhalb des Gesichtspunktes liegen bliebe, so lange wir Afrika (im Uebrigen) nur nach der bisherigen Rolle in verflossener Colonialgeschichte auffassen.

Als mit dem Entdeckungsalter die früher unbekannten Theile der Erdoberfläche neu sich eröffneten, war es zunächst Afrika's westliche Küste, die den Seefahrern der Portugiesen zur Leitung diente und auch für Stationspunkte, in Arguim[1]), in Mina und dann in Angola. Nachdem jedoch die Schiffe das Cap umfahren, und Indien's Schätze vor sich ausgebreitet sahen, wurde dort nach Colonien gesucht und Afrika's dunkler Continent in den Schatten gestellt.

An Colonien, im Sinne der indischen oder amerikanischen, dachte man

1) Das (nach der Entdeckung 1444) von Alphons V. angelegte Fort (1445) wurde von Johann II. vollendet (1482), durch die Holländer (1638) besetzt und von den Engländern (1665) wiedererobert, fiel aber dann an die Franzosen, welche es, nachdem durch die Holländer „unter der Flagge und dem Schutze des Kurfürsten von Brandenburg" zurückgenommen (s. Demanet), neu besetzten (1721). „Nach diesem Anfange ihrer ersten Unternehmung, schlichen sie sich in das Fort Portendik ein, und zwar durch die Begünstigung der Mohren, und unter dem scheinbaren Vorwande, dies Fort vom König von Preussen um 80 000 Reichsthaler gekauft zu haben" (bis zur französischen Eroberung, 1724).

in Afrika nicht, (ausser bei Angola, anschlüssig an die Missionen), und selbst Elmina, der anfängliche Stützpunkt jener (mit Diego Cam's oder Diaz's Erfolge in denen Gama's ihren Abschluss findenden) Unternehmungen, bewahrte später seine raison d'être nur durch die Lage an der Goldküste, denn das goldene Metall hat sich überall und immer (bis auf Australien und Californien) als Nervus rerum erwiesen, für Colonisationen gleichfalls, und so auch für die Senegambien's, als, nach Cadomosto's Erzählungen von Melli's Salzhandel im stummen Austausch gegen Gold, die Nachrichten über dessen Gewinnung von Marocco nach England gelangt waren.

Sie zu suchen wurden die englische Expeditionen am Gambia, seitdem die Gesellschaft in Exeter ihre Privilegien erhalten, in den Reisen (bis Baraconda aufwärts) von Jobson (1620), Stibbs (1723), Moore etc. veranlasst, und auch am Senegal, nachdem Brue die französische Ansiedelung in St. Louis gefestigt, richtete sich (seit Compagnon's Vorspiegelungen aus Bondu) die Aufmerksamkeit bald auf die Goldminen Bambouk's (von Gasche besucht). Dort fanden sich auch in dialektischen Ueberbleibseln Spuren der Portugiesen, die am Senegal (trotz der frühesten Beziehungen zu Bemoy) bei dem französischen Auftreten bereits völlig verschwunden waren, wogegen sie den Engländern am Gambia noch mehrfachen Widerstand entgegensetzten, sich dann indess in die ihnen verbliebenen Sumpfländer des Casamanza zurückzogen. Die dort von den Engländern versuchte Colonie in Bulama [1]) (am Rio Grande) scheiterte mit schweren Verlusten und ebenso schlug die schwedische (1767) fehl unter Wadström (der von Goree unverrichteter Sache zurückzukehren hatte). Auch die Franzosen hatten nur Misserfolge zu verzeichnen, denn die mit Unterstützung der Regierung für den afrikanischen Handel gegründete Gesellschaft [2]) (1664) ging nach 9 Jahren zu Grunde, die folgende nach 8 Jahren, die dritte ebenfalls bald darauf, und dann folgte die fünfte, die nach 8 Jahren ruinirt war; the undertaking was then absorbed by the great Missisippi Company (that mighty bubble).

---

1) After the expenditure of 10 000 Lst., the colonization of Bulama terminated in the evacuation of the island (1793), aus dem die Biafaras durch die Bissagos vertrieben waren (mit deren Königen von Canabar der Kauf abgeschlossen wurde).

2) They began their operations in 1664, were supported by the whole weight of ministerial protection, and received every aid from the fleets and armies of France; yet, in the course of nine years, they went entirely to wreck. Their privilege and chattels were purchased by a second company, which confined its operations to Africa alone. In eight years, this also was in a state of such total bankruptcy, that its creditors thought themselves happy in recovering one fourth of the sums due to them. On their ruins was erected a third, which speedily shared the same fate. It might have been supposed, that this downfal of company after company, would at lenght have opened the eyes of government to the error of the system upon which they were acting; and that some trial would have been made, of the efforts of free commercial intercourse. No such idea ever occurred; nor, on the ruin of one company did any remedy suggest itself, except the immediate erection of another. A fourth was accordingly erected, which, by great diligence, and by a judicious choice of its agents in Africa, was enabled to keep itself afloat for fifteen years, after which it sunk like the rest. It was succeeded by a fifth, which expired in eight years (s. Murray).

Auch hat St. Louis bis zur Besetzung der Engländer, und nach der Rückgabe an die Franzosen, nur gedrückte Existenz unter Tributspflichtigkeit an die umwohnenden Negerpotentaten, dahin zu schleppen vermocht, bis Faidherbe's energischer Eingriff (1852) hier mit der Vergangenheit brach und in seinen siegreichen Triumphen, die neue Aera französischer Colonisation in Afrika, im Anstreben einer Verbindung mit Algerien, zu inauguriren wusste, zunächst für das Handelsgebiet des Niger, während mit 1861 dann auch die Begründung der Colonie am Gabun (seit Erbauung des Fort d'Aumale 1843) diejenigen Wege öffnete, die sich nach der Erschliessung des Congolaufes bis dorthin richten liessen.

Diese allerjüngste Phase ist auch die erste, und soweit einzige, wobei von colonisatorischer Thätigkeit in Ober-Guinea gesprochen werden könnte, denn die dänischen Niederlassungen (unter Isert) in Aquapim u. s. w., würden sich, gleich der Erbauung von Gross Friedrichsburg[1]) auf dem Berg Mamfro (1683), an die Errichtung jener Burgen[2]) anschliessen, mit denen (oder mit deren Ruinen wenigstens) sich den Vorüberfahrern die Goldküste noch heute bespickt zeigt („ein Blutegel neben dem andern"). How eager must have been the traffic of slaves, for which purposes they had been erected (Cruikshank).

Bei den exceptionellen Verhältnissen, die zur Begründung Liberia's veranlassten, könnten diese für afrikanische Colonisationsgeschichte nicht in Mitbetracht gezogen werden, und ebenso wenig Sierra-Leone, bei den philanthrophischen[3]) Motiven, die zu Smeathman's Vorschlag (178( ) führten und dann

---

1) Neben dem Fort Friedrichsburg (auf Berg Mamfro) und dem Fort Dorothea (bei Accoda), „les Brandenbourgeois ont bati l'an 1674 encore une maison entre Mamfro et Accoda, joignant" le village de Tarsama, qui est au milieu de Cabo Tres Puntes (s. Bosman). La plupart de leurs Chefs ont été originaires des Pays-Bas (in der Compagnie d'Embden), titulirt als „Directeur General de la part de son Altesse Electorale de Brandenbourg et de sa Compagnie d'Afrique" (1705). Das Fort Royal Friedrichsburg, als Eigenthum der Brandenburgischen Handelscompagnie, wurde (mit Accoda und Bontria) an die Holländer verkauft (1720).

2) The forts of Succondee, Commenda, Coromanty, and Tantumquerry are now all in ruins, presenting an appearance of the utmost desolation; the forts that are occupied are Cape Coast, Accra, Christianborg, Dixcove by the English, Elmina and Creve-Coeur by the Dutch (1861). Das Castell am Cabo Corso (Cap Coast Castle) von Meville für die schwedisch-afrikanische Compagnie gebaut (1652) wurde (1658) von Carloff für die Dänen erobert, und dann durch Schmidt (1659) an die Holländer verrathen, denen es die eingeborenen Fetu abnahmen, welche es (1660); an die Schweden zurückgegeben, diesen (1663) auf's Neue abnahmen und dann den Holländern abstanden (die es an die Engländer verloren).

3) The African Educating and Civilizing Society wurde gegründet „to meliorate the condition of the colored race" (1846) und „The Society for the Extinction of the Slave trade and for the Civilisation of Africa" (1840) beabsichtigte „the colonization in Africa of free persons of colour" (s. Gurley). European Colonization forms no part of the plan (of the African Civilisation Society). Da man (1814) Englands „Verlangen als eine Handelsspeculation" betrachtete (wie Wellington an Wilberforce schrieb) forderte Buxton (neben Bewilligung von 20 Millionen) einen unzweideutigen Act, der Welt zu beweisen, „dass wirklich Menschenliebe die Triebfeder der Bemühungen sei" (und deshalb freien Handel). Für „Afrika's Befreiung durch Erweckung seiner eigenen Hülfsquellen", ward neben der „African Institution" die Gründung der „African Agricultural Association" beantragt (1841).

zum Wiederaufbau der, auf dem durch Capitän Thompson von König Naimbanna erkauften Boden niedergebrannten, Ortschaft durch die St. George Bay's Association (1791).

Spanien (das im Entdeckungszeitalter nach Amerika abgelenkt war und erst auf dem dort angezeigten Wege Indien erreichte) trat für Afrika nachträglich nur in Mitbewerbung auf, veranlasst bei dem in seinen Colonien zunehmenden Bedürfniss nach Sklaven, durch den Wunsch günstigere Abkommen, als in den Asiento's, zu treffen, bei eigener Mitbetheiligung am Handel. Bei der Ende des 18. Jahrhunderts besonders in den späteren Oelflüssen („oil-rivers") lebhaftesten Ausfuhr von Sklaven, empfahl sich ihm als günstige Position die Insel Fernando Po, die es sich deshalb (neben Annabon) im Vertrage von Ildefonso durch Portugal cediren liess.

Wird von der Goldküste abgesehen — in deren Namen schon der Zauber[1]) liegt, welcher anfänglich europäische Waaren anzog, zum Austausch[2]) gegen das edle Metall —, so waren im Uebrigen sämmtliche Colonien (Factoreien oder Stationen) an der afrikanischen Westküste nur der Sklavenausfuhr wegen begründet. Sie galten auch insofern nicht für Colonien, sondern vielmehr als Raubburgen, von denen aus die in günstigeren Localitäten gelegenen Colonien mit dem schwarzen Menschenvieh versorgt wurden, weshalb auch Nettelbeck seinen Vorschlägen einer Colonie in Surinam sogleich die Begründung einer afrikanischen verband, um sie mit Arbeitern zu versorgen[3]). Römer macht „den Guineischen Sklavenhandel als das Triebrad der ganzen Westindischen Handlung vorstellig" (1769), und auch die Märkte des Continents waren zu versorgen (im Süden und Norden).

Am systematisch geregeltsten hatten diesen (durch Papst Nicolaus V. in

1) Die edlen oder technisch verwendbaren Metalle (Gold, Silber, Zinn, Kupfer, Eisen), dann Diamanten (wie in Brasilien und Afrika), Rubinen (wie in Birma), Smaragde (in Bogota), Bernstein (am Baltic), Nephrit (in Khotan oder unter Maori) haben (gleich den Gewürzen und sonst exotischen Producten) als mächtige Factoren zusammengewirkt, der Menschheitsgeschichte ihre Richtung anzuweisen. Gold und Silber besiedelten Amerika, (in Mexico und Peru), Gold zog die Einwohner nach dem bei damaligen Verkehrsverbindungen fernsten Kalifornien, nach dem dürren Australien, wo dann, an Ort und Stelle, auch die besseren Localitäten aufgefunden wurden, um in Bebauung dem Boden dauerndere Schätze abzuringen. Gold war auch der Anlass zur Niederlassung in Afrika und führte dort freilich zunächst für seinen Ersatz zum Menschenhandel, ehe die Oelgewinnung an die Stelle trat (neben dem Elfenbein, besonders südlicher).

2) Accabel ist (bei W. J. Müller) „das Land, welches die reichen Gold-Berge hat, auss welchem das meiste und beste Gold, vor welches Europäische Wahren gekauffet werden, gegraben und gesuchet wird" (1673). Après le Pays de Dinkira, fut celui d'Acanny (s. Bosman) und für feines Gold Akim (1705).

3) In Erwägung, „dass der Anbau des Landes ohne Hülfe von hinreichenden Negersklaven nicht zu bewerkstelligen sein werde," verband Nettelbeck mit dem Plan einer „preussischen Colonie am Kormatin" (unter Friedrich Wilhelm), „die Idee einer Niederlassung auf der Küste von Guinea, wo schon 100 Jahre früher der grosse Kurfürst und seine Brandenburger festen Fuss gefasst hatten" (1786). So hatte sich auch bereits im Fort Cormentin der Fluss Kormentin (Corentyn) reflectirt, wie Guyana überhaupt in Guinea oder Jinne (Ghinea oder Ghenni).

Versklavung von Nicht-Christen sanctionirten) Plan, für das bequem gegenüber liegende Brasilien, die Portugiesen organisirt, durch das Vorschieben ihrer Besitzergreifungen in das Innere Angola's, während die übrigen Staaten auf die Küste beschränkt blieben, in zersplitterten Forts längs des Saumes derselben, und späterhin, besonders an der emphatisch sogenannten Sklavenküste, wo, um der wachsenden Nachfrage ihr entsprechendes Angebot zu schaffen, ein einheimisch afrikanischer Raubstaat seinen Plan ebenfalls mit System und Methode zu organisiren begann.

Als dann die Tage dieses Seelenschachers zu Ende gingen, trat Palmöl [1]) an die Stelle, in den Flussdelta besonders, wo es sich durch die Wasserstrassen rascher in den für Schiffsladungen benöthigten Quantitäten vereinigen liess (obwohl auch hier oftmals noch Jahre für ein volles Cargo in Anspruch nehmend). Immerhin gingen die Festungen jetzt, der Mehrzahl nach, in Factoreien über. Die afrikanischen Colonien (established for slaving purposes) became trading posts and ports (s. Burton); „the public calls them pesthouses and the government pronounces them a bore“ (1853).

Auch bedurfte es für ihre Forterhaltung des idealistischen Zuges heutiger Zeit, und seit (1788) [2]) „a society, under the title of the African Institution, was formed by a large body of the most virtuous and respectable individuals“ (s. Murray), haben Missionäre und gelehrte Gesellschaften auf dem Boden des dunkeln Continents zusammengearbeitet, um auch dort die Fackel der Kenntniss zu entzünden, in freilich nur allmähliger Erhellung.

Noch hat es (am Cameruu [3]), „der europäischen Cultur nicht gelingen können, theils wegen des verderblichen Klima's, theils der unsicheren Zustände halber unter diesen wilden Negerstämmen, die fast beständig im Kampf mit einander begriffen sind, dauernd festen Fuss zu fassen,“ (s. Buchholz).

Hieraus erwuchsen nun alle in Hutchinson's „ten years wanderings“ dargelegten Schwierigkeiten [4]) für die „West African Consuls“ (des englischen

1) Bald folgte, anfangs ebenfalls local, das Oel der Erdmandel (Arachis Hypogaea), dann Orseille, Gummi Copal u. s. w., und Hutchinson hofft weniger (für Afrika) von Elfenbein, Gold und Kupfer, als „from the industrial products of its cotton, shea-butter and palm-oil“ (1858).

2) Oder vorher bereits die in Norkioping zusammengetretene Gesellschaft (unter des Kanzlers Ulrich Nordenskiold's Schutz).

3) Die Einwohner der Bucht Camerones sind noch gantz wilde Leute, fressen nicht allein die Weissen, sondern auch ihre Todten (s. van der Groeben). Alle Schwartzen, die auf der Ostseite des Flusses Kalbarien, als auch höher Nordwärts auf wohnen, seyend Menschenfresser (s. Dapper). Neben dem Hause des Königs (in Kalabar) war ein anderes, in dem er seinen Götzen oder Jon-Jon in einem grossen Behältnisse voll Hirnschädel von seinen im Kriege getödteten Feinden oder auch von Thieren, nebst Menschenknochen (u. s. w. in Thon zusammengebacken) aufbewahrte (zu Barbot's Zeit). In 1859 in the public market-place at Duke-town on the Old Calabar river human flesh was openly exposed for sale like so much beef (s. Johnston). Die Anwohner des Cross-river galten als Menschenfresser (nach Beedie).

4) In the present state of political government up the rivers on the Bight of Biafra, it is scarcely possible to acquire by treaty any right from the rulers there; they do not understand what is meant or desired by an Order of Council (1871); the mere force of a consul without the moral influence, which the presence of a man of war alone can bestow is a moral farce, as regards his authority and power (s. Hutchinson).

Handels), „especially in a district like that of the Bight of Biafra, whose jurisdiction ranges from Cape Formosa to Cape St. John", seit Beecroft (mit dem Sitz in Fernando Po) „received her Majesty's commission in 1849" (als Consul der „Bights"). Nominelle Besitzergreifung [1]) hätte überall und jederzeit erfolgen können, aber Vorsichtige (Allzuvorsichtige vielleicht) hatten mitunter gemeint, sich davor hüten zu sollen, wie Reisende sich für die Königreiche, die ihnen in Afrika angeboten wurden, bedanken mochten, bis die Schnapsverträge in Curs kamen, bei Städtegründungen, fundamentirt auf der Branntweinflasche, als Telesma oder (bei Basuto) Pheku. Wie es in denjenigen Gegenden, wo einstens Brazzaville emporblühen soll, bei gewaltsamen Krönungen herzugehen pflegt, hat als unschuldiges Opfer derselben, der Commis einer Hamburger Handlungsfirma selbst erzählen können. In solchem Sinne öffnet sich in Afrika noch ein weites Feld für jugendfrische Enthusiasten, und wenn sich ihre afrikanische Hirnkammer mit einem gar wundersamen Inventar auszustatten pflegt, ist eine dem Modegeschmack huldigende Literatur nicht ohne Schuld daran.

„Durch das Hineinlesen in Ritter-Romane wurde Don Quixote's Hirn verwirrt. Stets unter den Vorstellungen längst vergangener Tage handelnd, wurde er das Gespött seiner Zeitgenossen. Solch' edler Ritter von der traurigen Figur ist der Typus für gar Manchen, der, obwohl mit durchaus edlen und hochsinnigen Gefühlen durchdrungen, dennoch aus einseitiger Kenntniss des Vorangegangenen, diejenige Zeit nicht begreift, in welcher er lebt."

So redete, als die Debatte über Abtretung der holländischen Colonien an der Goldküste Ober-Guinea's [2]) geführt wurden, Einer der hervorragendsten Geographen des Landes zu seinen Landsleuten (im Jahre 1871).

Dass mit den veränderten Zeitverhältnissen der Besitz der früher unter eifersüchtiger Wahrung von Monopolen geforderten Colonien gegenwärtig überflüssig geworden ist, wird an der afrikanischen Küste schon durch die Handelsverhältnisse dargelegt, indem nicht nur in Colonien der Franzosen fremde Flaggen colonienloser Staaten (wie die der Union und Deutschland's z. B.) den Löwentheil des Gewinnes forttragen mögen, ohne an den Lasten zu participiren, sondern auch diejenigen Nationen, welche Colonien besitzen, wie jene Franzosen und auch die Engländer, an denjenigen Theilen der Küste, wo

1) King Amakree confessed to me that he did not know, how he could give me more power, than my Queen was fit to give; not being able to read the treaty, he suspected its containing something insidious, but frankly agreed to sign any „book", if he were paid for it (s. Hutchinson). Das Königreich würde wohl noch billiger gewesen sein, als das zu Bosworth ausgebotene.

2) Deze treurig overschat onzer Afrikaansche Kolonien (in Guinea); het is een last post, die den staat jaarlijks anderhalve ton kost (1871). Dass Holland, wie die Besitzungen an der Küste Neu-Guinea's, sich auch die „West-Indische Colonien, Borneo, Celebes en de Molukken zal vervreemden, om zich voortaan uitsluitend tot het bezit van Java, Sumatra en de tinellande te bepalen" (wurde auch in der zweiten Kammer discutirt).

sich keine finden, einträglichere Vortheile oft aus dem Handel ziehen, als innerhalb derselben. Es wird darauf aufmerksam gemacht, dass mit einer Colonie alle die Verpflichtungen zugleich, die sich daran knüpften, übernommen werden, und wenn diese selbst bei reich ergiebigem Colonialbesitz, den Engländern und Holländern in Indien zugefallen, zum widerwilligen Fortschreiten[1]) in Eroberungen (und Ausdehnung über das wünschenswerthe Mass- und Zielhalten hinaus) geführt hätten, sie doppelt lästig und beschwerlich würden, bei vereinzelt abgelegenen Posten, die dagegen benachbarten[2]) Colonial-Territorien zur Abrundung geeignet dienen könnten, weil dann auch zugleich, im Anschluss bereits bestehender Verwaltungen, billiger zu erledigen.

Aus derartigen Gesichtspunkten, wie früher bei Abtretung von Ende auf Flores durch Portugal, von Benculen[3]) durch England an Holland, wäre jetzt von diesem die seiner Festungen an der Goldküste (des Fort Elmina[4]) in Anregung gebracht[5]).

Im patriotischen Aufschrei gegen solche Ehrenrührigkeit („een schandvlek voor onze nacionale eer") wurde auf Spanien hingewiesen, das, als Espartero über den Verkauf Fernando Po's unterhandelte, diese Insel von England zurückgefordert habe, obwohl Spanje (wie hinzugefügt) „moest weldra inzien, dat het door zijne met zoovel ophef aangekondigde vestiging van een nieuw bestuur op Fernando Po geld in het water smeet." Dennoch

---

1) „Man hüte sich, Niederlassungen zu gründen, wenn man nicht im Stande ist, sie zugleich gegen alle Eventualitäten zu schützen" (1870 p. d.). Den Conflict so viel als möglich zu vermeiden, ist das wichtigste gemeinsame Interesse, in welchem die verschiedenen Staaten sich begegnen (s. Lassen). „Ob der Nutzen und die Wichtigkeit von Colonien für das Mutterland so gross ist, als die Coloniesüchtigen glauben?" fragt Petermann (1869) betreffs Neu-Guinea's. Maar genoeg reeds over zulke fantastische Droombelden (van der Aa).

2) Als die Fiji-Inseln angeboten wurden (1858) lehnte England das Geschenk ab, (bis später, durch das Drängen der australischen Colonien dazu veranlasst), und auch nach dem abyssinischen Feldzug, verzichtete es auf Erweiterung seiner Stellung am Rothen Meer.

3) Engeland, dat na de bloedige oorlogen, die het von 1824—1826 en later weder in 1863 met Asianti voerde, door de meeste negerstammen der Goudkust, zelfs door die van het Nederlandsch gedeelte, als hun natuurlijke beschermer tegen dien roofstaat beschouwd wordt, kan dien moeijelijken plicht veel beter vervullen dan Nederland, dat slechts op de gehechtheid der bewoners van Elmina en enkele andere krommen onder den rook onzer forten kan steunen. Men wane toch niet, dat deze taak zoo licht is. Het volbrengen daarvan zal geen tonnen, maar millionen kosten, zonder dat de mogendheid, die deze taak op zich neemt, zich vleijen mag, de groote opofferingen, die zij zich daarvoor getroost, in de naaste toekomst door noemenswaarde handelsvordeelen vergoed te zien (v. d. Aa).

4) Im Austausch mit Malacca. Mit Frankreich wurde 1815 wegen Abtretung Pondichery verhandelt, und über Englands Abtretung von Gambia 1865. Das dänische Fort bei Quitta war an England abgetreten und später auch Frederiksborg. Nach den Kriegen mit den Ashanti (1826) „the English Government came to the resolution abondoning the settlements on the Goldcoast" (s. Cruikshank) bis auf Nachüberlegung (die dann wieder zur Erwerbung der Forts fremdländischer Nationen weiterführte).

5) St. Jorge del Mina, von Diego de Zabuja (1481 p. d.) erbaut, wurde 1637 von den Holländern besetzt, und vorher „war Nassau bei Moure ihre vornehmste Festung" (s. Roemer). The rich mines opened at Little Kommenda or Aprobi, led to the building of the Fort São Jorge da Mina by Diego d'Azemboja (s. Burton).

aber war dieser ritterliche Vorfechter für Colonien „aan Nederland als voorbeeld gesteld“. Welnu, laten wij ons daaraan spiegelen, als mannen van Germaanschen stam het aanhangige traktaat tot afstand onzer forten op de Goudkust met en koel hoofd overwegen, en ons niet door en schoonklinkende, maar onberedeneerde pralerij op de nacionale eer laten verleiden tot het spelen der rol van het land van Don Quijote de la Mancha.

Einem solch' trockenen Mynherr würde es vielleicht noch spanischer [1]) klingen, wenn ein bis dahin allen Verpflichtungen soweit lediges Volk, die nationale Ehre, die Ehrempfindlichen bei Abtretung von Colonien, immerhin als bereits verpfändet gelten könnte, sehnsüchtigst verpfändet zu sehen wünschte, im Umherstöbern nach Colonien, ob möglichen oder unmöglichen (und unzeitgemässen zugleich).

Wenn Deutschland derartige Schwäche damals gezeigt hätte, wäre dies dem Schreiber, wie er es offen ausspricht, nicht unlieb (tot myn leedwezen) gewesen, da er den Nachbarn gerne von einer colonialen Epidemie ergriffen gesehen hätte, denn für Holland könne es nur wünschenswerth sein, wenn auch gewisse andere der Colonialstaaten [2]), in die Freuden und „Leiden“ (de lusten, maar ook al de lasten) der Colonialpolitik hineingezogen würden, weil man dann am Besten in Europa bald Ruhe vor ihnen haben würde.

Allerdings wagt er nicht zu hoffen, dass die (vernünftigen) Deutschen etwa an „Borneo“ oder „Neu-Guinea“ für Colonialbesitz denken sollten, dann müssten sie mit Blindheit geschlagen sein (moesten ze met blindheid geslagen zyn), mit derartiger Blindheit, wie sich ihnen nicht zutrauen liesse.

Aber er bedauert, dass bei dem französischen Friedensschluss — (diese „Afrikaansche Studien“ sind 1871 gedruckt) — nicht die Colonien von Pondichery oder Mayotte ausbedungen wurden, oder besser noch das prächtige Cochinchina (het prachtige Cochinchina), wo man eine Eroberungscolonie gehabt haben würde, comme il faut, und jeder Erweiterung fähig. Bei der nur privaten Vertheilung der oben genannten Broschüre, war ihm nicht bekannt, dass in Deutschland's geographischen Kreisen (1870), die Bedeutung einer derartigen Erwerbung dargelegt worden, obwohl allerdings die Vorfrage offen gelassen wurde, ob überhaupt der Weg einer Colonialpolitik von Deutschland betreten werden sollte, oder dieses nicht vielleicht gerade in der Enthaltung von solcher seine Stärke suchen. Sobald freilich diese Frage der Colonialpolitik im bejahenden Sinne entschieden werden sollte, dann würde die erste Aufgabe sein, einen systematischen Plan in der Erwerbung zu folgen, um

1) Volslagen onkunde omtrent koloniale aangelegenheden in het allgemeen en Afrikaansche koloniale aangelegenheden in het bijzonder, gepaard aan een meer verklaarbaren dan geweltigden volkstrots heeft de Spaansche natie bewogen, dien afstand als onvereenigbaar te beschouwen met hare nacionale eer (seit 1868 ernstlicher).

2) Hoe meer toch de groote mogendheden zich in koloniale aangelegenheden wikkeln, hoe meer zij de lusten, maar ook al de lasten van kolonien ondervinden (desto besser für —).

bei dem Aufgreifen der unter mehrhundertjährigen Wettjagen am Wege zurückgelassenen Reste, wenigstens nicht in dieser, an sich beschränkten, Auswahl noch blindem Zufall ausserdem anheimgegeben zu sein.

Bei Abwägung der Argumente für und wider werden vorwiegend diejenigen ins Gewicht zu fallen haben, welche von der Zeitströmung herbeigeführt sind, und wenn die der Gegenwart als unbestritten freihändlerische noch nicht gelten darf, schillert sie doch nach der Richtung solcher Färbung hinüber, im Widerspiel zum Mercantilsystem monopolisirender Colonien. Solche Betrachtungen blicken deshalb auch bei den Ausführungen des oben citirten Nationalökonomen, als mitredend hindurch:

„Bei der Untersuchung, welchen Vortheil der niederländische Handel „auf der Westküste Afrika's hat oder haben kann, unter dem gegenwärtigen „Zustande unseres dortigen Colonialbesitzes, müssen wir vor allem darauf „hinblicken, dass Nordamerikaner und Deutsche, die ganz und gar keine „Colonien dort besitzen, an dem westafrikanischen Handel einen weit aus„gedehnteren Antheil nehmen, und dass andererseits wieder die Franzosen, „Holländer und Engländer einen bedeutenderen Handel an denjenigen Theilen „der Küste treiben, die unabhängig geblieben sind, als an den durch euro„päische Mächte in Besitz genommenen unter colonialer Oberhoheit. Auch „am Gabun haben die Franzosen einen geringeren Handel auf ihren Be„sitzungen als fremde Flaggen, was um so auffälliger erscheint, wenn man „bedenkt, dass Alles, was von Staatswegen für den Unterhalt der Kolonie „aufgebracht wird, ausschliesslich durch französische Schiffe besorgt wird; „aber dennoch fallen unter den 88 Schiffen nur 15 auf französischer Flagge."

Für die Zustände im Gabun ist es kennzeichnend, dass in dieser französischen Colonie deutsche Häuser den Markt behaupten (s. Robert). Der Handel von Gabun ist recht bedeutend; obgleich ein französischer Platz befindet er sich doch fast allein in den Händen von Nichtfranzosen (s. Lenz). La Gambie est devenue (1865) un comptoir français, administré par des fonctionnaires anglais (s. Pichard). So dass die Deutschen also handeln, wo die Franzosen die Verwaltung bezahlen, und wo die Engländer, wieder die Franzosen, so dass die Internationalität schon hergestellt ist. Wie jetzt der Freihandel, galt früher das Monopol als Panacee: „Man lasse die Direction verbieten, dass ihre Bedienten keine Sklaven an andere Nationen verkaufen sollen", wurde zur Hebung des dänischen Handels in Ober-Guinea vorgeschlagen (1758), und bei den Portugiesen rostete es ein bis heute (wenigstens an Zöllen). Le commerce entre la France et les établissements français de la côte occidentale d'Afrique est exclusivement réservé aux batiments français (1839). Karl II. verbot Allen, die nicht Mitglied der königlich afrikanischen Gesellschaft waren, den Handel an der afrikanischen Küste (1663), und Jakob II. schickte Fregatten auf's Kreutzen an der afrikanischen Küste ab, welche alle englischen Kauffahrteischiffe confiscirte, die sie in der Nähe von Guinea antrafen (s. Labarthe). Besonders exclusiv werden die Holländer an der Goldküste geschildert (wie die übrigen Colonien ebenso).

Darüber lässt sich der auf die Erfahrungen aus holländischer Colonialgeschichte basirende Artikel folgendermassen vernehmen:

„Als die seefahrenden Völker Europa's sich in den beiden Indien „und auf Afrika's West- und Ostküste befestigten, war jedes derselben auf „seine eigene Hand streng und fest auf Monopol bedacht. Damals konnte „sich keines von ihnen einen Colonialbesitz denken, woraus man nicht so „viel wie möglich jede andere europäische Nation fern zu halten habe, „(ursprünglich unter Zurückgreifen auf die päpstliche Theilung). So ent-„standen die oftmals wieder ausgebrochenen Colonialkriege, so entflammte „sich während des ganzen 17. und 18. Jahrhunderts niemals unterdrückter „Handelsneid bei denjenigen Nationen am heftigsten, welche nicht im „Stande waren, selbst zu colonisiren, sondern dieses bevorrechtigten Handels-„ländern zu überlassen hatten, die ihre Verpflichtungen als Regenten für den „Angenmerk des kaufmännischen Bedarfs vernachlässigten und keine Mittel „zur Handhabung ihres Monopols scheuten, nicht nur gegenüber dem fremden „Handelsmann, sondern ebensowohl gegenüber ihren unberechtigten Landes-„genossen, wenn man sie im eigenen Gebiet als Colonisten angetroffen. „So pflegte in den Ländern anlockender Productionen für den damaligen „Colonialhandel der heftigste Streit unter den europäischen Nationen zu „wüthen, und daraus datirt auch der langdauernde Zwist zwischen Portugal „und Spanien über die Gewürzinseln, in welchen dann später Holland „hineingezogen wurde, dessen Rivalitäten mit England, an den Küsten „Vorderindiens (im Pfefferlande Malabars oder in Bengalen und Surat), „in den Seehäfen des Mogulen-Reiches, wo portugiesische, niederländische, „französische und dänische Faktoreien einander verdrängten. So auch „geschah es, dass in der Mitte des 17. Jahrhunderts auf der nordameri-„canischen Ostküste ein neues Frankreich, ein neues England, ein neues „Niederland, ein neues Schweden sich nebeneinander antrafen; oder, dass „die Küste von Guinea gleichzeitig besetzt wurde durch Befestigungen der „Portugiesen und Niederländer, Franzosen und Engländer, Schweden und „Dänen, ja selbst Brandenburger, einige kaum einen Kanonenschuss von „einander entfernt.

„Diese Tage eines fortdauernden Neides und Streites über Colonial-„gebiete sind jetzt vorbei. Die gegenseitige Eifersucht der colonisirenden „Völker, so verderblich vor allen für die dadurch beständig unterdrückten „Eingeborenen, so schädlich für die Blüthe in der Entwickelung der „colonialen Niederlassungen, so nachtheilig selbst für den Mutterstaat, der „gewöhnlich die Vortheile, welche man aus Colonien hätte ziehen können, „zu vergeuden hatte an den Kosten zur Abwehr der vom Ausland her ge-„fürchteten Bedrohungen —, diese ganze Eifersucht gehört, Gott sei gelobt! „der Vergangenheit an, und wenn man noch hier und da Ueberlebsel davon

2*

„antreffen mag, so ist die Spitze wenigstens abgebrochen. So mag Einiges „derart bei Portugal übrig sein, bei Spanien oder Frankreich; aber im „allgemeinen haben sich die Besitzungen nur vortheilhaft erwiesen bei den „colonisirenden Völkern germanischen Stammes, bei Grossbritannien und „den Niederlanden, die beide in Indien ein Reich gestiftet haben, das im „Umfang und Bevölkerung vielmals den Mutterstaat übertrifft. Britannien „und die Niederlande, von Alters her so nahe verwandt, haben ihr indisches „Reich mit Kriegsgewalt erobert und müssen auch, um ihre Befehle zu „handhaben, gegen die zahlreichen indischen Völker noch häufig jetzt das „Schwert umgürten. Bei beiden finden sich auch noch hier und da Rück-„erinnerungen der früheren Verwaltungsweise der Colonien, doch ist im „allgemeinen zu erkennen, dass sie Indien jetzt nach den geläuterteren An-„sichten der heutigen Rechtsgrundsätze verwalten. Je mehr dies von beiden „als ihr eigener Vortheil angesehen wird, desto mehr verschwindet auch „die frühere Eifersucht, die den benachbarten und befreundeten Nationen „nicht das Sonnenlicht gönnte, um einem edleren Wettstreit Platz zu „machen, einer der zur Civilisirung noch unmündiger Völker würdigeren „Aufgabe.

„Daraus folgte dann auch die gegenseitige Verständigung zwischen „England und Holland, wie in den Londoner Tractaten von 1814 und 1824, „wodurch die Grenzen ihrer Besitzungen in Indien genauer bestimmt „wurden, wie in späteren Zeiten die Vereinbarungen über Abtretung von „Benkulen und Malacca, Abtretung der portugiesischen Besitzungen auf „Flores und dergleichen mehr. In ähnlicher Weise wurden Verhandlungen „geführt über Pondichery seit dem Jahre 1815 und andererseits im Jahre 1865 „über Abtretung der englischen Colonie Gambia an französisches Senegal. „Obwohl man bei Auswandercolonien sowie bis zu einem gewissen Grade „auch bei Pflanzungscolonien vielfach die nationale Ehre involvirt halten „könnte, wenn es sich um Abtretung oder Aufgebung einer solchen Colonie „handeln sollte, so verhält es sich doch vollständig anders bei den so-„genannten Eroberungscolonien, wo im Grunde nur wenig europäische „Beamte oder Landbesitzer, Handelsleute oder Industrielle sich als Be-„förderer einer zahlreichen eingeborenen Bevölkerung anwesend finden und „zwar solche nur, die meistens nach einem zeitweisen Aufenthalte wieder „nach ihrem Mutterlande zurückkehren, ohne dass man sie als eigentliche „Colonisten betrachten könnte, die in der Colonie wohnbar bleiben. Be-„treffs dieser Colonien erweisen sich die Gesichtspunkte einer staatsver-„ständigen Leitung so weitaus liegend, dass menschliche Kurzsichtigkeit „besser thun wird, von Allgemeinheiten abzusehen, und enthaltsam zu „schweigen, bis das Mutterland in jedem einzelnen Falle genauere An-„weisungen vor sich sieht, ob so oder so zu handeln sein wird. Ein Staat, „der in einer oder mehrerer dieser Eroberungscolonien ein passendes „Terrain besitzt, wo derselbe in fruchtbarer Weise als Beförderer der

„Civilisation unter den Wilden auftreten kann, wird die damit zugefallenen „Aufgaben nicht ohne Weiteres abweisen dürfen, wenn der unter den „Colonialmächten bereits angenommene Rang behauptet werden soll. „Andererseits dagegen könnte eine Abwerfung der Colonie zur Pflicht „werden, wenn sich etwa in dieser nur ein aus alter Zeit der colonialen „Eifersucht übriggebliebenes Fossil mit fortschleppte. Ein solcher Fall „würde z. B. eintreten bei Besitzungen, die in der colonialen Domäne „eines andern Staates gelegen sind, so dass von diesem die darin gestellte „Civilisationsaufgabe einfacher und vollständiger erfüllt werden kann, als „durch den Eigenthümer, der dann also besser thäte, sich solches Anhängsels „zum allgemeinen Nutzen, und damit des eigenen ebenfalls, zu entäussern."

Freilich treten hier nun, je nach dem concreten Fall, daraus fliessende Erwägungen hinzu.

Betreffs der holländischen Colonien sind zwar „von der Zukunft der Molukken keine besonders günstigen Hoffnungen zu hegen, ebensowenig von der Entwicklung des ausgedehnten Borneo, weil grösstentheils bewohnt durch wilde, halbnomadische Stämme der Dajak. Dennoch aber würde der Besitzer der reichen und halbcivilisirten Inseln des Archipelagos, derentwegen doch bereits eine ansehnliche Land- und Seemacht unterhalten werden muss, seinerseits deshalb leichter im Stande sein, einige Civilisation in jene obigen Wildernisse zu tragen als irgend eine andere Staatsmacht, die etwa in Borneo und in den Molukken eine einzeln gelegene und isolirte Colonie besetzte. Und so möchte es also auch hier zu einer Art Ehrenpunkt kommen, solche Colonien ferner zu bewahren. Ueberhaupt werden die dominirenden Colonialstaaten wie England und Holland immer mit einer Anzahl Anhängsel belästigt sein, die sie sich indessen verpflichtet sehen müssen mitzuschleppen. Wenn jedoch Staaten Europa's, die noch keine Colonien besitzen, wie das Deutsche Reich, Italien, Oesterreich, sich derartigem Luxus hingeben wollten, müssten sie mit Blindheit geschlagen sein, sofern sie für den ersten Beginn etwa ihr Auge auf solche ausgedehnte, öde Länder werfen sollten wie Neu-Guinea oder Borneo, wo durch die geringe und ganz- oder halbwilde Bevölkerung die allerersten Unterlagen für den guten Erfolg einer Eroberungscolonie von vorneherein ausfallen".

Für Deutschland war allerdings bei dem Friedensschluss nach dem französischen Kriege die Frage eines Colonialbesitzes näher herangetreten, da der französische zur Auswahl vorgelegen hätte, für Mayotte (in Madagascar), Pondichery in Indien und andere Punkte:

„Hätte sich eine grosse Eroberungscolonie wünschenswerth gezeigt, so würde der deutsche Kanzler in dem prächtigen Cochinchina Alles, was man in solcher Hinsicht verlangen kann, vollauf gefunden haben: ein fruchtbares Land, durchschnitten von zahllosen Flüssen und Canälen, eine bereits verhältnissmässig civilisirte, thätige, gesittete und industrielle

Bevölkerung, die sich also deshalb leicht beherrschen und belasten lässt, von fast einer Million Menschen, wie sie binnen weniger Jahre durch die Franzosen unterworfen wurde; dann ausserdem eine günstige Lagerung für den deutschen Handel, der jetzt bereits den Hafen von Saigon mehr besucht als die französischen Kaufleute selbst, nebst Gelegenheit zur Ausbreitung über das bereits unter französischem Protectorat stehende Kambodja und ferner über das gesammte Stromgebiet des Mekhon —, kurzum, eine Colonie, die bei weiterer Entwicklung auch ohne Kriegsgewalt einen überwiegenden Einfluss wird ausüben müssen über Reiche wie Siam und Anam und den ganzen Osttheil von Hinterindien und unter guter Regierung nach einiger Zeit die Kosten der Regierung decken wird." (1875.)

Dies war also die im Jahre vorher auch von einheimischen Geographen Deutschland proponirte Colonie, aber an ihrer Stelle hat man jetzt eine „erste Colonie" in Afrika gefunden, wenigstens nach der Aussage derjenigen Blätter, welche Angra pequena als solche proclamiren.

Obwohl nun derartige Ehre unserem (wenn nicht extensiv, doch intensiv) bescheidensten „Büchlein" kaum beschieden sein kann, möge es sich doch als gewinnreicher Boden erproben für den verständigen Kaufmann, der ihn gesichert hat, und gewinnbringend weit über den eigenen Realwerth hinaus hat er sich für Deutschland bereits bewiesen in Erkämpfung eines völkerrechtlichen Principes, das, wenn jetzt auf ergiebigeres Terrain angewandt, noch goldene Früchte tragen mag, kraft jenes freudig begrüssten Ausspruchs unseres Reichskanzlers [1]).

Auch selbst auf dem schwarzen Continent, dem ungünstigsten unter allen für europäische Colonisation, mag fernere Verwendung sich finden, am naturgemässesten in den sich neu erschliessenden Weiten innerhalb mächtiger Flussgebiete, des Niger und des Congo.

Für die Küste würde mit Besitzergreifung des Kamerun der Apfel abgeschossen sein, denn dorthin, als dem Eingangsthor in Africa's eigentliches Innere, waren schon länger die Augen der in afrikanischer Geographie Beantwortung der von Barth (in den Bati u. s. w.) gestellten Fragen Suchenden gerichtet, so dass auch bei Gründung der Afrikanischen Gesellschaft dieser Ausgangspunkt in Vorschlag lag neben dem an der Loango-Küste, und obwohl die Aufrufe in Bezug auf die nach dieser abzusendenden Expedition

---

1) „Meine von Sr. Maj. dem Kaiser gebilligte Absicht ist, die Verantwortlichkeit für die materielle Entwickelung der Colonie ebenso wie ihr Entstehen der Thätigkeit und dem Unternehmungsgeiste unserer seefahrenden und handeltreibenden Mitbürger zu überlassen und weniger in der Form von Annectirung von überseeischen Provinzen an das deutsche Reich vorzugehen, als in der Form von Gewährung von Freibriefen nach Gestalt der englischen Royal charters, im Anschluss an die ruhmreiche Laufbahn, welche die englische Kaufmannschaft bei Gründung der ostindischen Compagnie zurückgelegt hat, und den Interessenten der Colonie zugleich das Regieren derselben im Wesentlichen zu überlassen und ihnen nur die Möglichkeit europäischer Jurisdiction für Europäer und desjenigen Schutzes zu gewähren, den wir ohne stehende Garnisonen dort leisten können."

erlassen wurden, findet sich doch das erste Heft des Correspondenzblattes (1873) eingeleitet mit Berichten deutscher Reisenden am Kamerun, und Auskunft auf gestellte Erkundigungen (S. 22). So bleibt dauernder Dank zu schulden dem Geographen und Reisenden, der jetzt als Consular-Vertreter practisch zur Ausführung brachte, was früher theoretisch berathen war. Dass diese in mancher Hinsicht empfehlenswerthe Localität überhaupt noch zu haben war, erklärt sich aus ebenso guten Gründen, wie bei Angra pequena[1]).

An der Namaqua-Küste zu siedeln, war, seit Diaz sie zuerst besucht hatte, Niemandem in den Sinn gekommen, weil eben diese trostloseste Oede (für oberflächlichen Anblick) keinerlei Verführungen[2]) bot, und die Bay von Biafra[3]) wurde möglichst von Jedermann gemieden, weil unter den tödtlichen[4]) Klimaten an Africa's Westküste als tödtlichstes bekannt, wenigstens in dem Delta der Flüsse.

Da indess im Hochland der Terra alta Amboza manches Sanitarium einzurichten sein mag, und schon die von den Rumby-Bergen bis zum Inselkranz wissenschaftlich gestellten Aufgaben einige Anstrengung verdienten, wird deutsche Energie ihre Bahn zu brechen wissen, in den Palmölflüssen durch Fortführung und Erweiterung des bereits bestehenden Handels (und im Namaqualande durch Ausbeute der Fischgründe oder eines Bergbaues).

Im Uebrigen aber kann von dem, was man unter bisherigem Sprachgebrauche mit einer Colonie versteht, in einem Falle so wenig die Rede sein wie im anderen, zumal es auch in beiden dem Erfolge der kauf-

1) Wenn nach der deutschen Besitzergreifung englische Proteste laut wurden, so ergeben sich diese als allzu natürlicher Ausfluss altbergebrachter Colonialtraditionen, um Wunder nehmen zu können, selbst nicht bei diesem an sich fast werthlosen Object, und sogar bei Walfischbay, obwohl durch das Hinterland weit ausnutzbarer, hätte man sich vorläufig lieber noch der Unbequemlichkeit einer Annexion seitens der Capstadt entzogen, wenn nicht die Frage seitdem zu einer brennenden geworden wäre (für die Localauffassung der Colonial-Regierung).

2) Selbst das Cap war verschmäht, so lange die reicheren Gefilde Indiens lockten. La Compagnie hollandaise elle-même, si soucieuse pourtant de tout ce qui pouvait favoriser son commerce, attendit jusqu'en 1650, avant de songer à créer une colonie, qui put offrir un port de refuge et de ravitaillement à ses navires, sur un point, ou depuis 1600 ceux-ci s'arrêtaient en allant aux Indes et en revenant. On peut dire du reste que cette idée lui fut suggérée par le hasard (s. Gsell), auf den wissenschaftlichen Bericht des Schiffsarztes Van Riebeck (der dann mit Einrichtung der Niederlassung beauftragt wurde). „Wie alle anderen portugiesischen Ansiedlungen in Afrika, hat auch Mozambique ein passives Budget" (s. Robert), mit Deficit von 9 634 835 (1870—71).

3) Mit Biafra-Bay wird innerhalb der Bucht von Benin (vom Cap der drei Spitzen bis Cap Formosa) die Einbuchtung nach Osten bezeichnet (bis Cap St. John).

4) Auf den Kriegsschiffen (die England zur Unterdrückung des Sclavenhandels in der Bucht von Benin kreuzen liess) starben 5 pCt. im Jahre 1845, 8 pCt. im Jahre 1851 (auf der „Coffin-squadron"). Das gefährliche Klima ist zu den ungesundesten auf der Erde zu zählen (in Benin) und rafft alle Europäer von jedem Alter und von jeder Constitution weg (s. Palisot-Beauvois). Auf den Palmölflüssen der Beninbucht (1882) „raffte vom 14. März bis 20. Juli das Fieber von 278 Weissen 6 Supercargo, 5 Aerzte, 5 Kaufmannsdiener und 116 Matrosen hinweg; einzelne Schiffe verloren ihr ganzes Volk" (s. K. Andree) in den „plague ships" (und um die noch verderblichere Küste zu meiden, wohnen die Weissen auf Hulks oder Pontons). Dtsch. Expdt. a. d. Lngk. I., S. 116., Geogr. u. Ethngr. Bldr., S. 142.

männischen Untersuchungen nur erspriesslich gelten dürfte, wenn über das, in dem Schutz des Reiches gewährtem, Palladium der Sicherheit und Unverletzlichkeit hinaus, die Hand der Regierung sich im Uebrigen so wenig fühlbar und sichtbar macht wie möglich.

Gerade an dortiger Küste hat es sich wiederholt bewiesen, dass die Kaufleute weitaus am besten fahren, wenn sie ungestört unter sich mit den Eingeborenen ihr Abkommen treffen können; wogegen diese, wenn zur Aufsetzlichkeit gereizt, durch Kriegsschiffe zwar gestraft werden können, aber nicht zum Verkehr gezwungen (bei „Stoppage of Trade").

Als zur Eintreibung für holländische Firmen ausstehender Schulden im Jahre 1844 (und 1845) ein holländisches Kriegsschiff seine Kanonen am Camerun vor King Bell's Town hatte donnern lassen, musste sich noch 15 Jahre später Koopman eine Rückweisung von den Negern in Bimbia gefallen lassen. „Me no want dutchmen, no forget never Dutch man of war, in the Cameroon, Englishman no fight, merchantmen can make their own bussiness, that is better (1860). Und die Engländer, obwohl sie es nöthigenfalls an Kriegsschiffen um wenigsten fehlen lassen würden, haben doch gerade dort, an den Palmölflüssen, ihre Angelegenheiten in zusagenderer Weise zu ordnen gewusst mittelst des auf der (von ihnen an Spanien zurückgegebenen) Insel Fernando Po residirenden Consuls[1]), und für periodische Befahrung der Küsten auf den Kriegsschiffen der Station.

Aehnliches würde auch für die Sclavenküste[2]) gelten, und ihre (soweit

---

1) „Die englischen Consuln schlossen vielfach Verträge mit den Negerhäuptlingen, wodurch diese geloben mussten, dem Sclavenhandel zu entsagen, sowie auch ihren sonstig barbarischen Gebräuche, den grausigen Menschenopfern bei Leichenbegängnissen der Fürsten oder anderer Vornehmen, das Tödten von Zwillingen, den Gebrauch des Gifttrankes u. s. w. Wiederholentlich wurde Gewalt gebraucht, um diesen Verträgen Nachdruck zu geben, bisweilen auch der eine oder andere Negerkönig durch einen anderen ersetzt, oder es bedurfte auch Gewaltmassregeln, um Handelsschulden einzutreiben, die rückständig blieben. Indess es ist nicht vorgekommen, dass diese Consuln bei den englischen Handelsleuten darauf drangen, das ungesunde Creditsystem fahren zu lassen und nicht mehr aus eigener Hand die Neger selbst oder Geisseln auf ihrem Schiffen zur Zahlung zu zwingen. Auch wurde durch ihre Bemühungen in den meisten Oelflüssen unter dem Namen des Court of Equity eine Art internationaler Rechtsbank errichtet, worin die Superkargo der verschiedenen Handelshäuser zusammen Sitzungen hielten, um ihre Zwistigkeiten mit den Negerkaufleuten oder untereinander gegenseitig zu schlichten. Auf diese Weise wirkte England mehr zur Bildung der Neger in den unabhängigen Staaten der Bucht von Guinea, als auf die in der eigenen Colonie an der Goldküste, wo es über die Inländer nur einen geringen Einfluss ausübte" (van der Aa). As Mr. Bright rightly teaches, strong places and garrisons are not necessary to foster trade and to promote the success of missions. The best proof on the West-African-Coast is to be found in the so-called Oil-Rivers, where we have never held a mile of ground and where our Commerce prospers most (Burton).

2) Popo oder (im Unterschied von Gross-Popo oder Aflah) Klein-Popo (1788) „ist die äusserste Handelsstelle gegen Osten, wo die Dänen sich etablirt haben (s. Isert). On peut compter ce Popo pour le premier des Pays d'Ardra (s. Bosman). Le fort danois (de Quitta) est le dernier des établissements européens sur cette partie de la côte (s. Kerhallet) 1861 (mit dem Dorf Quitta). Die Colonie Lagos (englisch seit 1861) encludes Badagry on the West and Palma and Leckie on the east. Badagry (1875) has belonged to England since 1863

nicht dem Tyrann von Dahomey unterworfen) unruhigsten Stämme (besonders die bei Popo[1]) und Nachbarschaft), freilich zugleich die auf ältere Traditionen in africanischer Vorgeschichte zurückführenden, gleich der Ardrah's[2]) (vor der Eroberung der Dahomeer), und so in ethnischer Hinsicht interessantesten.

In Folge der französischen Besitznahme von Assinie wurde die Jack-Jack so feindlich gestimmt, dass sie unter alleiniger Begünstigung englischer Firmen (aus Bristol) französische derartig darben liessen, dass diese einen Vernichtungskrieg gefordert haben wollten, wenn Lieutenant Desnouy die Angelegenheit nicht kühler aufgefasst hätte (1864). Whoever will deal with them must behave civilly, for they will not traffic, if ill used, bemerkt John Lock (beim Handel in Guinea) 1554 (s. Benezet).

Der Agent der africaansche Handelsvereeniging fand bei seiner Bereisung des Gabun (1871), dass die Neger seit der französischen Besitznahme ihre Waaren statt nach dem Fluss abwärts, über Land verführten, und nach dem vom englischen Regierungs-Commissar Ord über Grand Bassam abgestattetem Bericht hat es, so weit nur der Handel in's Auge gefasst wird, für die Kaufleute vortheilhafter zu gelten, sich darüber mit den einheimischen Häuptlingen in Beziehungen zu setzen, als auf Forts und Consuln zu stützen, und „zal de partikuleren handel het meest bloeijen, als die in den regel op eigen kracht moet steunen" (s. van der Aa). „Es ist gewiss, dass ein Schiff auf der Küste von Guinea mit weniger Unkosten Handlung treiben kann als ein Fortresse" (s. Roemer). Grosse Fortressen mit weitläufigen Garnisonen in Guinea zu unterhalten, will der heutige Goldhandel nicht austragen (1682), durch Lorlenträger verdorben (s. von der Gröben)[3]). Derselbe

and a small garrison is maintained there with a civilian commandant under the orders of the Governor of Lagos (s. Chenery). In Abgwey (zwischen Petit-Popo und Grand-Popo) „on arbore les couleurs anglaises" (1851). Die Norddeutsche Missions-Gesellschaft gründete 1853 die Station Keta, 1857 Anyako, 1856 Waya und 1860 Wegbe (im Eweerlande).

1) Von Queta bis Klein-Popo ist die Küste sehr leer und öde (s. Labarthe). Koto und Klein-Popo haben einen sehr unergiebigen, sandigen, im Allgemeinen baumleeren Boden und suchen daher eine Erwerbsquelle im Handel mit Sclaven, die aus den benachbarten Gegenden geraubt werden (1840). Aber auch in der wuchernden Vegetation der Mangrovesümpfe lagen damals Sclaven-Baracoon versteckt (im Camerun, Calabar u. s. w.). Isert beschreibt die Neger von Way bei Augna (am Quitta-Fluss) als „die stärksten fast aller übrigen Neger-Nationen" (1788). „Die Akraer, von den Aquamboer besiegt, flüchteten nach Popo" (und weitere Völkerverschiebungen seit den Eroberungen der Ashantie).

2) The Ardranese had attained such a degree of civilization that they are able to correspond, with each other by a species of Quippos (vor dem Einfall der Dahomeer), „eine eigene Schrift, wie einst die Peruaner, Quippos genannt" (s. Carl Ritter). Am Congo wurden Knotungen zum Rechnen benutzt und in Fetu (nach W. J. Müller) zum Orakeln (aus Fetiso-Stricken mit Todtenzähnen eingeknotet). „Un roi du grand Ardra" erbittert, dass das Meer, trotz der Opfer sich nicht beruhigte, „tomba dans la même extravagance que Xerxes, qui fait fouetter la mer" (s. Bosman). In den Traditionen lebt die goldene Zeit des Reiches von Benin (wo die Portugiesen den Priester Johannes suchten). Die Portugiesen (nach Vitault) befuhren den Niger (s. Reade), dessen Wiederauffindung durch Reichart die factische Bestätigung abzuwarten hatte (durch Landers).

3) Auch zu Roemers Zeit wurde der Niedergang des Goldhandels beklagt, aber „vor fünfzig Jahren hat man die Goldküste überhaupt (nämlich vom Cap tres puntas bis Rio Volta) eine Goldmine nennen können" (wie das Portugiesische Fort).

hätte ohnedem bei zunehmender Zahl europäischer Bewerber aus seinen unvollkommen bearbeiteten Minen die goldenen Träume nicht zu erfüllen vermocht, wie sie seit Bekanntwerden des als Goldmarkt mystisch umschleierten Timbuctu im Anfang des XVII. Jahrhunderts in Europa erweckt worden waren unter Erinnerung an Leo Africanus' Erzählungen von Goldklumpen ohne Parallelen.

Wie der Malaguetta-Pfeffer (Amomum grana Paradisi) nebst dem Guinea-Pfeffer (Capricum annuum) ausgestochen wurde, als der vorher nur über dem Landwege in Venedig's Handel (und früher [1])) eintröpfelnde Piper nigrum aus den Pfefferhäfen Sumatra's in Schiffsladungen ausgeführt wurde, wie die steigende Nachfrage nach Elfenbein in gleichem Masse die Jagd auf Elephanten steigerte, und die Ausrottung also der Producenten, so dass von der Zahn- (oder Elfenbein-) Küste der Name als „nicht mehr" passend bezeichnet ward, so auch verlor die Goldküste ihren goldigen Schimmer und „erhielt ihre frühere Bedeutung vorzugsweise durch den Sclavenhandel."

Auch hier stieg das Bedürfniss schnell in erschreckendsten Proportionen, bei Abschluss der Asiento-Verträge, mit festen Lieferungen jährlich (unter Conventionalstrafen), und als (wie im vorigen Jahrhundert) viele Hunderttausende alljährlich des „schwarzen Kasimir", — jener „schwarzen Waare", wie auch aus preussischen Schiffen (1774) verkauft (in Surinam), — über den Ocean zu transportiren waren, verlangte die Anschaffung derartig grossartige Vorkehrungen, wie sie die Ashantie in ihren Eroberungskriegen zu schaffen wussten. Als dann trotzdem die Lieferungsfähigkeit abnahm, so dass Mitte des XVIII. Jahrhunderts die Verlegung der Factoreien nach der Küste der Malas gentes (unter den Quaqua) in Vermuthung gestellt wurde, um „eine neue Goldküste zu finden" (s. Roemer), organisirte sich zur rechten Zeit (weil durch das Zeitbedürfniss eben hervorgerufen) der zweiten Raubstaat für Menschenjagden in Dahomey, an der dann eigentlichen Sclaven-Küste.

Um diesem letzten Zufluchtsort des Sclavenhandels beizukommen, wurde zum Theil die englische Besetzung von Lagos veranlasst, die sich dann bei dem Anwachsen des Palmölhandels auf dem Niger auch dafür als eine wünschenswerthe Position zeigte, trotz des sonst dort abrathenden Klima, und der Abneigung gegen afrikanische Besitzergreifungen überhaupt. „Que faire d'un pays, qui n'a aucune production regulière"? frägt (1864) Griffon du Bellay, betreffs der französischen Colonie am Gabun, der sich indess mit dem Ogoway, und mehr noch mit dem Congo, ein vielversprechendes Hinterland [2]) geöffnet hat.

1) Durch persische, axumitische und äthiopische Kaufleute (zur Zeit des thebanischen Scholasticus) in Taprobane (piper ibi nascitur in magnaque colligitur copia).

2) Da der Barmer Mission „der verhältnissmässig schmal bewohnbare Streifen Landes zugefallen ist, welcher westlich von der, das Innere von Südafrika ausfüllenden Kalahari-Wüste liegt, so ist eine Ausdehnung östlich von Gross-Namaqualand völlig unmöglich" (1882). There is neither wood, water nor stock to be had at Angra pequena, whose aspect is most dreary and uninviting (s. Bartlett).

Wo solches dagegen fehlt, wie im Namaqualande z. B., würde sich die Frage stellen, ob dem Wunsche nach „schietgoed“ [1]) an der Bucht gefällig entgegen zu kommen wäre, unter all den gegen Staatsangehörige aufliegenden Verpflichtungen, die in Europa noch mehr die Schwierigkeiten empfinden lassen werden, welche in Afrika davon abgeschreckt haben. „Die Cap'sche Regierung ist gar nicht im Stande, etwas zu thun. Man kann von ihr nicht verlangen, dass sie für ein Land, das nach Aussage fast aller Weissen eine Annexion nicht werth ist, Tausende von Pfunde ausgiebt, auch können weder Kriegsschiffe noch Soldaten in das Innere des Landes hinein, um die Ordnung herzustellen, und in der Bai können sie wenig oder Nichts nützen“, schreibt Missionär Brincker (auf der Station Barmen) beim Kriege zwischen Herrero und Namaqua (1880).

„An die Zukunft des Handels mit einem so armen Lande lassen sich nicht sehr viele Hoffnungen knüpfen“ (s. Robert), besonders indem „in Folge der schonungslosen Verfolgung der Sträusse und Elephanten die dortigen Eingeborenen die „Poule aux oeufs d'or“ bald vernichteten“ (1883).

Das Land der Herrero, das Hinterland von Walvishbay, lockte die Namaqua heran, für welche ihre eigene Heimath keine Reize besitzen konnte. Im Gross-Namaqualande ist Rehoboth dasselbe, was die Capstadt in der Colonie (nach dem Schulmeister Jonas), aber bei Kleinschmid's Ankunft dort „stieg Dürre und Hungersnoth von Monat zu Monat, und im Felde sollten schon mehrere Buschmänner und Haukoin verhungert sein“ (1850). In Grootfontein, wo durch die Bastaard das Land bearbeitet wird, starben (1879) fast täglich Klein- und Grossvieh vor Hunger und Durst, sowie einige Namaqua aus Hunger (s. Papst), nicht also aus Uebervölkerung, wie in Indien etwa, sondern dem Jammer des Landes. „Ist es dürr, so giebt es Hunger und Kreuz, aber unter dem Kreuze gesunde Tage, dann ist es das gesundeste Land in der Welt. Fällt viel Regen, so steht Alles in Ueppigkeit, aber zugleich wird Fieber und Tod mit ausgebrütet“ (Goethe) 1854 (im Gross-Namaqualand). „Ob der Landkauf seitens einer Bremer Handelsfirma an der Angra pequena die Bedeutung haben wird, welche ein gewisses unüberlegtes Haschen nach Colonien ihnen bemisst, ist mehr als fraglich“ (s. Warneck), und Sache des Kaufmanns ebenso, der seine Calculationen am sorgsamsten anstellen wird, wenn zum eigenen Nutzen oder Schaden. Ein solcher Pionier des Handels, entschlossen von der Pike auf zu dienen, wird mit dem so erworbenen Vermögen auch das des Staate's ver-

1) Unglücklicher Weise besteht (bei dem afrikanischen Handel) die Einfuhr für einen merklichen Theil in Ammunition, in Schiesspulver und Waffen, in Waaren, die, weit davon entfernt, den Neger zu civilisiren und zu veredeln, nur dazu dienen, zu seiner ferneren Erniedrigung beizutragen. Eine grössere Einfuhr von Waffen und Pulver muss die wiederholten Kriege zwischen den verschiedenen Negerstämmen beständig wachhalten, die Erzeugung der für den europäischen Handel gesuchten Ausfuhrartikel vermindern und den Verkehr selbst erschweren. Ausserdem trägt dann die Einfuhr von Branntwein zur Versumpfung beständig bei (v. d. As).

mehrt haben. Werden dagegen (mit oder ohne Staatshülfe) Millionen zusammengeschossen, so wird im Anfang Alles glänzend gehen, vielleicht unter günstigen Verhältniss auch ferner, bei ungünstigen dagegen auf das blendende Debut ein desto tragischeres Ende folgen, in dem durch seine Häufigkeit leider allzu bekannten Krach, um den sich die in ihren Gehalten gesicherten Angestellten weniger grämen mögen, als die Actionäre.

Bei Landkäufen für Auswanderungs-Unternehmungen käme die moralische Verantwortung hinzu, um Vorwürfen vorzubeugen, an denen es nicht gefehlt[1]) hat, wenn auch andere Proben günstiger ausgefallen sind. Am geeignetsten dafür würden sich (wie bereits erwähnt) neben den Vereinigten Staaten, die südamerikanischen Localitäten, wie in Paraguay, La Plata und brasilische Nachbarschaft erweisen, und auch Südafrika kann dabei in Betracht gezogen werden, wenigstens für das Areal an der östlichen Küste, während an der westlichen die in dieser ganzen Südspitze fühlbare Sparsamkeit des befruchtenden Lebenselementes, im Wasser, bis zum kargsten Geiz zusammenschrumpft.

Als Anderson[2]) auf seiner Reise nach Rehoboth, wo eine Quelle für Anlegung der Station ausgesucht ist, parallel mit dem Küstenstrich Angrapequena's (also auf dem Hinterland derselben) hinzog, gelangte er unter einer spärlichen Grasung für sein Vieh nach Bethanien, (wild and dreary in the extreme), und beschreibt (auf dem weiten Weg südlich zum Orange-Fluss) seine Leiden, „when, after having dug for twenty consecutive hours (and this I have done more than once), the water is found insufficient in quantitey", sowie in steter Todesfurcht, bei „the scarcity of the water and the uncertainty of finding it, in these parched regions" („what remains for me, but to lie down and die"). Bei dem trostlosen Character der ganzen Gegend zwischen Okomumbonde und Okozondyapa „ist nicht ein Platz (ausgenommen Obyiyamongombo), der das ganze Jahr Wasser hat", in dem Omaheke oder Sandfeld (s. Büttner). Von Bethanien („Alles öde und einsam") reiste man (1852) „durch wüstes Gebirgsland hinauf zum Kaizi Kubibi oder Grossbrakaros" (nach Bersaba), „eine grosse Ebene, in welcher hier und da ein Dorn- oder Ebenholzbaum steht", und bei der „guten, etwas lauwarmem Quelle" fanden sich „vier Quadratzoll Wasser darin, und das ist viel für Numaqaland (s. Jahn). „Das Schlimmste ist, dass die Quellen immer schwächer werden" (im Numaqualand) 1881 (s. Pabst).

Unter solchen Verhältnissen limitirt sich der Handel[3]) von selbst, doch:

1) „Mag die Hand Gottes euch treffen und die Menschen euch zur Rechenschaft ziehen; ihr seid Rechenschaft schuldig über alles, was ihr begangen habt," klagt (1847) gegen die Mitglieder (des Mainzer Vereines) eine Stimme deutscher Auswanderer (in Texas).

2) Die Colonie der Tagesdebatte und Coloniale Vereinigungen (Berlin 1884), S. 50.

3) Der werthvollste Export, der der Straussenfedern, nimmt naturgemäss in demselben Massstabe ab, als die Nachfrage wächst, weil in vermehrter Jagd um so rascher zur Ausrottung führend. Die Viehausfuhr hatte in früheren Jahren eine kurz vorübergehende Blüthe in der Verproviantirung St. Helena's, die seitdem aufgehört hat.

wer das Kleine nicht ehrt, ist des Grossen nicht werth (sagt das Sprichwort). —

Nach den obigen Argumenten des holländischen Rechenmeister's wäre es bei der Colonialbilanz in Erwägung zu stellen, ob der den Händlern unter den Stämmen des Namaqualandes zu gewährende Schutz [1]) nicht einfacher, als von jenseits des Meeres her, von England aus zu leisten wäre mittelst des in der Capstadt bereits in der Nachbarschaft vorhandenen Regierungsapparat, und in ähnlicher Weise würde sich für die australische Colonialregierung eine Annectirung Neu-Guinea's ausführbar erweisen, während der Unberufene sich dort die Finger ebenso verbrennen könnte, wie in Borneo bereits geschehen ist (obwohl hier, der chinesischen Einwanderung bereits vertraute, Wege auf günstigste Verwerthung der Kuli-Arbeit hätten schliessen lassen).

„England, welches nach den blutigen Kriegen, die es von 1824 bis „1826 und später wieder 1836 mit den Aschanti führte, von den meisten der „Negerstämme an der Goldküste und selbst von den von Holland abhängigen „als der natürliche Beschützer gegen jene Raubstaaten des Innern betrachtet „wurde, kann die schwierigen Pflichten der Vertheidigung viel besser erfüllen, „als Holland, das einzig nur auf die Geneigtheit der Bewohner von Elmina „und einiger anderer kleiner Stämme sich stützt, deren Wohnsitze an dem „Fusse der Fort's umherliegen. Will Holland hier eine staatliche Oberhoheit „für sich beanspruchen, wird es diese auch mit Kraft und Entschlossenheit „in würdiger Weise zu wahren haben. Man glaube indessen nicht, dass dies „eine leichte Aufgabe sei, denn die Ausführung würde nicht Tonnen Goldes „nur, sondern Millionen kosten, und zwar sind diese Ausgaben zu machen, „ohne dass diejenige Macht, die solche Pflicht übernimmt, sich etwa schmeicheln könnte, die grossen Aufopferungen, zu denen sie sich hierbei entschlossen hat, in der nächsten Zukunft mittelst nennenswerther Handelsvortheile wieder vergütet zu sehen."

„Will Holland seine abgelegenen Colonien an der afrikanischen Küste „behalten, und nicht die dauernde Schmach auf sich laden, sie verkommen

1) Nach dem juristischen Maasstab eines (wechselnden) Völkerrechtes gemessen, würden sich bei jeder Adprehension (im Sinne der Souveränität des Territorialbesitzes) difficile Fragen stellen, deren harte Nüsse zu knacken man um so lieber sich entzieht, weil schliesslich doch das Recht des Stärkeren die practische Entscheidung abgiebt. Bei Landkäufen im Namaqualande z. B. liesse sich tüpfteln über die Titel des ursprünglichen Eigenthümers, die der berüchtigte Afrikander s. Z. schwerlich anerkannt hätte, da sich Jan Afrikander (1870) als „alleiniger Herrscher der vereinigten Herreeo und Namaqua" proclamirte (s. Hahn). Der Häuptling Oasib der Kei-Xhaua (das „Roode Volk") nahm die allgemeine Oberhoheit in Anspruch, und bei Ankunft der Orlam standen die Kaubib Koisi (rothes Volk) an der Spitze der einheimischen Bundesgenossenschaft. Von Jacobus Frederiks, der aus der Cap-Colonie auswanderte, stammen (in Bethanien) die Frederiks, von denen die Boois (mit einem Unterhäuptling des Häuptlings David Christiao) nach Norden wanderte, und dazu kamen später die Bantam, Engelbrechter, Lamberts (aus Amraal Stein), Gobubu, Veldschoendragers, Toontjes, Stuurmans, Tinaars u. s. w. (s. Bam).

„zu lassen, dann muss es sich bemühen, sie zu frischer Entwicklung zu „bringen. Diejenigen also, die sich gegen die Abtretung an England so „heftig auflehnen, müssen es wohl erwägen, welche Kraftanspannungen und „Geldopfer dadurch erfordert werden, und welche practischen Vortheile man „denn in der Zukunft aus diesen Besitzungen etwa erwarten möchte". Fehlt die Opferfreudigkeit, für ideale Zwecke das Risico financiellen Verlustes zu tragen, so hat sich der Staat mit lebensunfähig verkommenden Colonien einen Stein an's Bein gebunden, der sein eigenes Vorwärtskommen wenigstens nicht beschleunigt. Doch mag neue Belebung strömen aus einem in Lebenskraft schwellendem Staat, und jedenfalls quillt es mächtiger jetzt in deutscher Nationalität, als in irgend anderer.

Für Trinidad[1]) (an der Küste Brasilien's) ausgetauscht, wurde im Vertrag von Ildefonso (1778) Fernando Po (nebst Annabom) von den Portugiesen an Spanien übergeben, welches (nach dem Bericht des Grafen von Floridablanca, als Premier-Minister Carlos' III) für die Ausfuhr von Negersclaven nach den amerikanischen Besitzungen auf den Inseln (wie bisher in den Asiento-Verträgen versorgt) sich von dem Wucher der französischen und portugiesischen Zwischenhändler befreien wollte.

Die von Montevideo ausgesandte Expedition, unter Graf Arjelejos (der bei Ankunft sogleich starb) kehrte von Fernando Po bald wieder zurück, „by the fatality of the climate, which in less than three years had carried away 128 out of 150 men (s. Hutchinson), in America anlangend (1783) „unicamente con 22 hombres de los 150 de que se componia la expedicion de 1778 (s. Navarro).

Da die auf der Insel zurückgelassene Besatzung revoltirte, fand die Räumung statt, und die Insel lag wieder herrenlos, bis England sie für den Sitz eines „Mixed Commission Court" (im Schiedsgericht über den Sclavenhandel) in Anspruch nahm und bei Ankunft der von Capt. Owen geführten Expedition (1827) die Anlage von „Clarence town" beginnen liess[2]). „Hundred of valuable lives were lost", und 1833 ward die Auflösung der Niederlassung beschlossen, unter Verkauf der Baulichkeiten an das Handelshaus Dillon, Tenant & Co., die 1837 fallirten.

Spanien machte einen zweiten Versuch zur Besitzergreifung (mit Aussendung Lerena's, der Beecroft als Gouverneur einsetzte) 1843 und dann 1845, aber noch 1855 „there was not a single Spaniard residing on the whole lenght and breadth of Fernando Po" (nur Engländer mit einigen Halbkasten sowie sonst eingeführte Neger, neben den Eingeborenen, und Lynslager, ein anglisirter Holländer, als spanischer Gouverneur).

---

1) Nach dem Austausch Trinidad's mit Fernando Po wurde der Vertrag, 1764, erneuert, aber die Insel 1782 von Spanien verlassen, und Lawson fand nur einige Portugiesen von St Thomas zurückgeblieben (1783). L'île de Corisco fut annexée à la couronne d'Espagne par la volonté de ses habitants, qui demandèrent cette faveur par l'intermediaire de leurs rois Ma Monga et Boncoro II. (s. Sorela).

2) Therefore, in the name of God, by whose grace we have been thus successful, and

Obwohl Owen das Land (bei Clarence-Cove) von den Bubie gekauft hatte (1827), protestirte Spanien nach halbhundertjährige Verjährung und England willigte in die Cession (1833). Die durch das spanische Kriegsschiff Manterola gebrachten Priester (1845) erlagen dem Klima, ebenso die von Don Miquel Martinez y Sanz geschickten (1856), von denen (vierzig an Zahl) nur Einer (im Jahre 1857) zurückgeblieben war. Darauf folgten die Jesuiten mit dem Gouverneur Chacon und von den durch seinen Nachfolger (1858) gebrachten Europäern waren 1880 Viele verstorben (s. Koopman). Das Klima (von Fernando Po) „is so unpropitions to Europaean life, that the pestilential breath of death may be said to lurk in every calm and to be wafted in every gale (s. Holman).

So wäre auf Clarence-Peak, den Mann bei seiner Besteigung (1880) 8500 Fuss hoch fand (mit demgemässer Temperatur: 54° am Nachmittag, 39° Nachts), ein Sanitarium angezeigt, wie Thomson in Bonjongo eingerichtet hatte, auf dem (in Mann's Begleitung) von Burton 13 760 Fuss gemessenen (und Hanno's θεῶν ὄχημα identificirten) Camerun (terra alta de Amboze) oder Madiba-di-diwala (und Monga-Ma-Sobah als Götterberg), als Ptolemäus' Arualtes (bei Macqueen). „Die Anstrengung während dieses Ausflugs warf Mann abermals auf's Krankenlager, auch Saker, und ein anderer Missionär Smith, die am 5. Januar wieder auf das Gebirge kamen, litten am Fieber, so dass das Lager keineswegs einer Gesundheitsstation gleich sah" (s. Petermann) an der für das Sanitarium ausgewählten Quelle (7880 Fuss hoch gelegen). Aber: „There is no doubt that Amboise bay is the least unhealty station on the west coast, but its iron-bound rocks, and the inaccessability of its islands would require an immense outlay of capital to make the neighbourhood inhabitable„ (s. Hutchinson). Victoria wurde bei Ausweisung der englischen Missionäre am Fernando Po gegründet (1858), dem „Schlüssel Mittelafrika's" (s. Laird), auch für Deutschland vielleicht (von der Kohlenstation aus).

„Diese Flüsse an der Bucht von Guinea, so vortheilhaft sie sich auch für den Grosshandel, in den bedeutenden Quantitäten von Palmöl, die von dort exportirt werden, bewährt haben, erweisen sich unglücklicherweise aber als einer der ungesundesten[1]) Theile von den in dieser Hinsicht überhaupt schon als ungünstig bekannten Erdgegenden in Westafrkia. Während der Seewind am Strande den nachtheiligen Einfluss des Klima's einigermassen

for the sole use and benefit of his mosts gracious Majesty, George the Fourth, king of Great Britain and Ireland, I do by this public act, take possesion of all the land bought by me as aforesaid, under the future name of Clarence, heisst es in der Proclamation Capt. Owen's (25. Dec. 1827).

1) Diesem, allgemein als tödtlichstes betrachtetem, Klima Afrika's äquatorialer Westküste käme am nächsten dann das Neu-Guinea's (mit Ausnahme etwa einiger Strecken an der neu entdeckten Küste), und so nach der auf Königliche Proclamation (1828) erfolgten Besitzergreifung der Holländer, benöthigte sich der Befehl (1835) „het fort Du Bus voorloopig te doen ontruimen" (in Triton's Bay).

mildert, entbehren die Kauffahrteischiffe, welche die Palmölflüsse hinauflaufen, und dort eine geraume Zeit ihres Handels wegen liegen bleiben müssen, dieser Erfrischung in der lang geschlossenen Umgebung wuchernden Pflanzenwuchses, welche alle diese Flüsse umsäumt, andauernd bloss gestellt den schädlichen Ausdünstungen des umgebenden, meist sumpfartigen, alluvialen Bodens. Aus den ersten Fahrten, die mit dem Dampfschiff auf dem Niger unternommen wurden in den Jahren 1832—1834 unter Laird und Oldfield, kamen von den 49 Europäern nur 9 Personen mit dem Leben davon, und bei der zweiten Fahrt im Jahre 1841 unter Allan und Trotter, starb ein Drittel der europäischen Bemannung. Hieraus geht genügend hervor, dass diese Flüsse Centralafrika's zu den tödtlichsten gehören, nicht allein für Europäer, sondern selbst für fremde Neger, die man dorthin gebracht hatte, die aber dennoch der Ungesundheit des Klima's erlagen. Die späteren Nigerexpeditionen, besonders die der Plejade im Jahre 1854, haben gelehrt, dass mancherlei Vorsichtsmassregeln bei solchen Fahrten getroffen werden können, um dem Nachtheil für die Gesundheit einigermassen vorzubeugen, vor allem dadurch, dass man nicht zu lange an demselben Platze verweilt, die miasmatischen Ausdünstungen möglichst vermeidet durch Aufsuchung von gesunderen Standpunkten und durch prophylaktischen Gebrauch von Arzneimitteln." Aber mit alledem sind nur geringe Garantien gewährt: „Die Palmölschiffe, die ein halbes Jahr oder länger, mitunter sogar zwei Jahre auf demselben Platze verweilen, und bei denen die Bemannung die nöthigen hygienischen Vorsichtsmassregeln nicht streng und sorgsam genug in Acht nimmt, wie dies auf den Kriegsschiffen und bei direkt wissenschaftlichen Untersuchungsfahrten geschehen kann, diese Schiffe haben denn auch stets von den stärksten Verwüstungen des Klima's zu leiden, besonders wenn das gewöhnliche afrikanische Fieber dann und wann in seine gelben Epidemien ausartet." (1871.)

An dauernde Ansiedelung kann hier nicht gedacht werden, aber auch in ungesunden Gegenden (und gewissermassen in ihnen erst recht) wird der Kaufmann seines staatlichen Schutzes geniessen, seitdem in der Angra pequena Frage mit dem Ausspruch, — dass, ob diese Küstenbucht ein Sandloch sei oder nicht, nicht Sache der Reichsregierung, sondern des Kaufmann's wäre, der sie zur Niederlassung sich ausgesucht, — der Standpunkt präcisirt ist für fernere Colonialpolitik (in Schutzgewährung, ob direct oder indirect vermittelt, für den eigenen Bürger). Je grössere Schwierigkeiten unter ungünstigen Verhältnissen zu überwinden sind, desto anerkennenswerther ist der Entschluss, unabgeschreckt dadurch, auf eigene Gefahr hin, eine selbstständige Existenz zu schaffen, wenn günstigere Localitäten bereits vorweggenommen sind, und wer in solcher Weise Energie und Thatkraft als einen Grundzug deutscher Nationalität bekundet, wird auf die Sympathie dieser, wie auch den so gebührenden Schutz zugleich zu rechnen haben. Die reichen Fischgründe der Küste versprechen dauerndere Arbeit als einstens der Guano, der dort bald erschöpft war, und ebenso werden sich momentan geschäftlich ganz gute Chancen bieten, in dem zwischen Walfischbai und Oranjefluss gegenwärtig allein, ohne Beschränkung zugänglichen, Hafenplatz, wenn diesen nun als Austauschort zu wählen, die Gesammtheit der Bewohner des weiten Namaqualandes für vortheilhaft finden sollte. Allerdings bleibt diese Gesammtheit, über ein Gebiet von vier Breitegraden zerstreut, innerhalb des bis jetzt angenommenen Maximum von 30 000 Köpfen, und da ein Bedürfniss für Bekleidung und Luxusartikel auf das denkbar beschränkteste Maass reducirt zu gelten hat, muss es eben geschäftlicher Berechnung eines practischen Kaufmann's überlassen bleiben, ob die Entreprise einer Firma reüssiren würde oder nicht, da eine zweite vielleicht schon bedenkliche Concurrenz bieten möchte. Dass also alle sonstigen Colonisationen, wie sie bei den unklaren Vorstellungen über Colonien in den dadurch erhitzten Gehirnen durcheinander laufen, von vornherein ausfallen, würde keiner Bemerkung bedürfen, wenn nicht gerade die Zeitungen, aus denen sich das Publicum zu orientiren sucht, in Münchhausiaden wetteiferten, deren Absicht schwer zu verstehen ist, da sich mit Worten der Thatbestand doch nie wird ändern lassen. So heisst es in einem der hiesigen Blätter, dass Angra Pequeña, wenn auch an der Küste wüste, doch das Vorland bilde eines „gewaltiger Entwickelung fähigen Hinterlandes" — ein Phrasencoloss, vor dem jede Antwort verstummt im Echo der Oeden ringsum, das auch von der Kalahariwüste her zurückschallen könnte. Freilich scheint hier die Vorstellung des Hinterlandes in weit grossartigerem Sinne gefasst, denn in einem anderen Blatte wieder war in diesen Tagen gesagt, dass eine von Hamburg ausgezogene Expedition nach Angra Pequena mit Absicht eines Handelsweges nach dem mittleren und oberen Congo abgeschickt sei. Wenn etwa in China Colonisationsprojecte auftauchten, und von der Epidemie erfasst, ein chinesischer Kaufmann ein Schiff ausrüstend, auf der Suche nach herrenlosem Terrain, unter Samojeden am Karischen Meere einen Besitz gefunden zu haben meinte, um eine Handelsstrasse nach der Donau zu eröffnen, so wäre das ungefähr ebenso rationell und würde von satirischen Bemerkungen derjenigen Blätter, die über geographische Schnitzer in fremden so gern spotten, wohl kaum verschont bleiben. Wir werden also wohlthun, um den gern beanspruchten Ruf der Gründlichkeit zu wahren, bei den, Colonialprojecte betreffenden, Artikeln Berather zuzuziehen, denen die Geographie in ihren Elementarbegriffen wenigstens einigermassen vertraut ist, und dürfte es, seit Einführung der Geographie in den Schulunterricht, daran nicht fehlen, wenn man sich ernstlich nach ihnen umsehen sollte. Sofern in Angra Pequena ausserdem von Minen gesprochen wird, so bleibt das eine Sache für sich, wie überall, wo es sich um Minenunternehmungen handelt, welche allzu oft gleich auf Schatzgräbereien folgen (wenigstens was das Risico betrifft), wenn sie auch, selbstverständlich, bei sachverständigen Untersuchungen, demjenigen, der sein Geld wagen will, reiche Ausbeute im Glücksfalle gewähren können. Dass der Glücksfall indess immer die Ausnahme bildet, hat sich auch bei der Südwestküste Afrika's er-

3

wiesen, wo nach den Erfahrungen der letzten 20 Jahre aus 6 Minengesellschaften Eine eingeschlagen, und 5 im allgemeinen Bankerott zu Grunde gegangen sind. Immerhin kann über den Metallreichthum der dortigen Gegend keine Frage sein, und da es in Deutschland an tüchtigen Geologen und Bergleuten nicht entbricht, bleibt Entsendung von Experten in geschäftlicher Hinsicht sowohl wie in wissenschaftlicher erwünscht. Alles das mag sich in gesund normaler Weise aus der Inangriffnahme durch Privatentreprise entwickeln, und seitdem in der Reichstagsdebatte der Standpunkt der Regierung dargelegt ist, können die in colonialen Begeisterungen allzu nebligen Phantome kaum viel anderes schaden, als etwa dem Rufe derjenigen Blätter, welche geographische Thorheiten aufzutischen lieben, oder auch dem Geldbeutel des Kaufmannes, wenn die Speculation, mit oder ohne seine Schuld, fehl geschlagen ist. Dies freilich, wie gesagt, wird seine Sache sein, wobei an Unternehmungen in Neu-Guinea oder benachbarten Inselgruppen gleichfalls zu denken wäre.

Einzelne derselben, wie Neu-Britannien z. B., bieten manche Gelegenheiten, für Ausnutzung bei sachkundiger Behandlung, wogegen sie sonst oder anderswo ebenso von traurigen, bedauerlichen Misserfolgen zu erzählen haben möchten, wie die französischen Expeditionen in Neu-Irland u. dergl. m. Erfahrung und Sachkenntniss wird, wie in allen Dingen, auch hier sich finanziell werthvoll erweisen, und so sollte man sich, im Allgemeinen gesprochen, etwas ernstlicher darum umthun, seitdem die Betheiligung an Colonialunternehmungen den Capitalisten zugemuthet und vorgeschlagen wird.

Das Publikum, das über die Tagesereignisse seine Belehrung und Orientirung in den Zeitungsblättern sucht, wird die nachsichtige Gleichgültigkeit, mit welcher die geographischen Absonderlichkeiten bisher durchgelassen wurden, rasch verlieren, wenn es diese Schnitzer in eigenes Fleisch und Bein schneiden fühlt, weil ein getäuschtes Vertrauen auf Zuverlässigkeit in financielle Verluste gestürzt. Gewissenhaft ehrliche Gründlichkeit dürfte sich also jedem empfehlen, der in Colonialangelegenheiten mitreden will, denn es wird sich auch hier sich wohl bewähren, unser deutsches Sprüchwort: „Ehrlich währt am längsten!"

Eine Annectirung ist heutzutage nicht mehr die einfache Sache, wie in erster Entdeckungszeit, als Diego Cam seine Steinpfeiler oder Padrone aufrichten mochte, um damit portugiesische Besitzergreifung zu erklären. Gegenwärtig übernehmen die Vertragsmächte mit der Annexion fremden Gebiets die moralisch gegenseitige Verantwortlichkeit internationalen Schutzes unter ungesitteten[1]) Horden für diejenigen Bürger ihrer Staaten, die sich auf Grund und Vertrauen solcher Regierung dort zur Ansiedelung und zum Handel veranlasst sehen.

Trotz Palgrave's Verhandlungen mit Häuptlingen der Hereró und Namaqua hatte deshalb die Capcolonie gezögert, die Aufnahme der Wall-

1) Unter Hottentotten galten Namaqua als gesittetste (zu Kolbe's Zeit).

fischbai auszusprechen und würde auch bei Angra Pequena sich länger noch zuwartend verhalten haben, wenn nicht die eingetretene Concurrenz zu Schritten veranlasst hätte, die sich dann allerdings als verspätet erwiesen.

In dem Delta der Nigerflüsse haben die englischen Consul von ihrem provisorischen Sitz in Fernando-Po aus, die höherer Civilisation von selbst zufallende Suprematie seit Jahren bereits ausgeübt und Käufe von Land und Kronen, die dort nicht hoch im Preise [1]) zu stehen pflegen, gerne effectuiren können, wenn nicht die commerciellen Interessen selbst von dergleichen Verwickelungen, — wie bei king Peppel (mit Annie-Peppel und Manilla-Peppel u. dgl. m.) in Bonny (und sonst) durch die in die Subtilitäten africanischer Legitimität verlaufenden Rechtsansprüche hervorgerufen, — eher abriethen, (und auch der Rückzug der Portugiesen vom Kongo floss vielfach aus der Ermüdung in Verfolgung der Piraten in den verschlungenen Creeks dortiger Sumpfdelta).

Immer jedoch bleibt es angezeigt, seitdem europäischer Handel besteht, dass in den Hafenplätzen auch europäische Flaggen wehen, und gewiss ist die deutsche [2]) vor allem berechtigt bei dem wesentlichen Antheile, den die verständig geleitete Thätigkeit unserer Kaufleute an der Erschliessung dortiger Kaufmannsschätze zu sichern gewusst hat.

Dass zugleich, wenn eine Wahl zu treffen war, dieselbe nicht glücklicher hätte ausfallen können, als in der Entscheidung für den Kamerun, wird sich als weiteres Verdienst demjenigen Ehrenkranze einflechten, der einen gefeierten Namen bereits schmückt, während in Niederguinea, der Ausschiffungsplatz der deutsch-afrikanischen Expedition [3]) (in Ambrizette) eine Frage stellt, die zu Erwägungen aufforderte, bei Erneuerung portugiesischer Rechtsansprüche, auf welche unter den früheren Verhandlungen mit England (betreffs der Befugnisse des „Mixed Court" während der Sclaven-Ueberwachung) verzichtet war. Wenigstens so im Jahr 1856:

„Um die hohen Zölle und die Plackereien der Douane zu vermeiden, haben die fremden Kaufleute sich stets von Loanda fern gehalten und vorgezogen, sich ausserhalb der Grenzen der portugiesischen Besitzung anzusiedeln. Früher bestanden verschiedene englische und amerikanische Factoreien am Logeflusse in Ambriz, nördlich von Loanda, und der lebhafte Handel, welcher dort anwuchs, war der Regierung schon lange ein Dorn im

1) Der Missionär Saker hatte (zu Buchholz's Zeit) „dem alten King William von Bimbia (King William Town, an der Mündung des westlichen Arm's des Camaroonflusses) das ganze Gebiet von Victoria, nebst den Ambas-Inseln und Zubehör, für etliche Fässer Pökelfleisch, Brot und Butter abgekauft" (die Uebernahme durch die englische Regierung scheiterte an der Unzulänglichkeit des Hafens für eine Marine-Station).

2) So schreibt Buchholz, als die Häuptlinge am Camaroons „eine vollständige Stoppage of trade in Ausführung brachten" (1874): „ein deutsches Kanonenboot würde genügen, um diesem Gesindel ein für allemal Respect einzuflössen. Nun, vielleicht bekommen wir das bereits früher verheissenen Kriegsschiff an der westafrikanischen Küste einmal zu sehen" (ein erfreulicherweise erfüllter Wunsch).

3) Zwei Worte über Colonialweisheit (Berlin 1868), S. 20.

Auge gewesen. Sie ergriff daher gern den Vorwand bei einer stattgefundenen Beraubung eines portugiesischen Ladens zu interveniren, um ihre Unterthanen gegen Feindseligkeiten der Eingeborenen zu schützen. und sandte in drei Schunern ein Truppencorps nach Ambriz, dass die umliegenden Negerdörfer zerstörte und ein den Hafen beherrschendes Fort erbaute. Dem Fort folgte Zollhaus auf dem Fusse und ein hungriges Beamtenheer bewachte jeden Zugang zu der vorher freien Küste.

Die englischen Kaufleute protestirten; Commodore Adams, der damals die Kreuzungsschwadron commandirte, drohte selbst mit einem Bombardement, aber nach längerm Notenwechsel einigte man sich dahin, dass Portugal in dem Besitze von Ambriz verbleibe, dagegen aber um fernere Streitigkeiten, über die Ausdehnung seiner Besitzungen zu beseitigen, der Logefluss, oder vielmehr die geographische Breite seiner Mündung, fortan als Grenze angenommen werden solle. Die Oppositionspartei warf der Regierung vor, in Abschliessung dieses Vertrages die Verfassung verletzt zu haben, welche ausdrücklich stipulire, dass sich die Krone ihre durch durch die Priorität der Entdeckung gegebenen Rechte auf die ganze Ausdehnung der Küste bis Cabende vorbehalte. Noch im vorigen Jahrhundert wurden dieselben mehrfach geltend gemacht, und seitdem sich der französische Emigrantenhandel besonders im Zaire concentrirt hat, würde England wahrscheinlich nicht abgeneigt sein, sie wenigstens für diesen anzuerkennen, indem dadurch Gelegenheit gegeben wäre, selbst eine angeblich freie Auswanderung zu verhindern. Im Anhange folgt aus einem im Auftrage der portugiesischen Krone zur Darlegung ihrer Rechte im Jahre 1856 veröffentlichten Berichte, eine historische Uebersicht. Vorläufig haben indess die Flottencapitaine mit dem das rechte Ufer des Logeflusses besitzenden Fürsten von Quinsembo einen Offensiv- und Defensiv-Vertrag abgeschlossen, um ihm sein Gebiet zu garantiren und jedem Eingriffe in dasselbe entgegentreten zu können. Die englischen und americanischen Kaufleute verlegten in Folge dessen ihre Factoreien nach jenseits des Loge, und die beschäftigungslosen Zollofficianten von Ambriz sehen jetzt die Schiffe an ihren leerstehenden Waarenhäusern vorüberfahren, um sich in Quisembo zu entladen. Zur Zeit meines Fortganges fürchtete man indess, dass die Regierung beabsichtige, dass aus den südlichen Districten seiner Besitzungen gebrachte Gummi copal in Ambriz mit einem Durchgangszoll zu belegen, um so den Handel zu zwingen, dahin zurückzukehren." [1]) (S. 25). s.

Ein Besuch in San-Salvador, (Bremen 1859.)

Von den an der Westküste durch das deutsche Kriegsschiff besuchten Lokalitäten würde Popo die Möglichkeit einer Ansiedelung, ähnlich wie in Quitta (Keta) und die Forts der Goldküste bieten mit der Aussicht auf ein Hinterland in Dahomey und weiter dann in Joruba. Die Flussdelta am Kamerun,

1) Die Handelsstrasse begann damals nach dem nördlicheren Ambrizette abzulenken (S. 209).

deren Klima die Kaufleute auf den „Hulks" zurückhält, ohne eine Ansiedelung an der Küste zu erlauben, würden solche auch für Jeden andern verbieten. Trotzdem kann vom dortigen Stützpuncte an der Küste aus ein mächtig anregender Einfluss auf den Handel des Binnenlandes ausgeübt werden, in welchem, an dieser Localität, viel versprechende Verkehrswege, in den Flussgebieten des Benue und Niger miteinbegriffen wären. Ausserdem wird die Batonga-Küste,[1]) die durch die die dortige Einwanderung aus dem Innern (s. Wilson) ein besonderes Interesse besitzt, dadurch bekannter werden, und ebenso vor Allem das äquatoriale Hochland (wie erwähnt), schon betreffs der Sanitarien, welche sich dort errichten liessen.

Ein reichstes Feld eröffnet sich für deutschen Unternehmungsgeist in den Gebieten des Niger und Congo, beide auch Deutschland am nächsten angehörig, auf das Recht wissenschaftlicher Entdeckung hin. Durch Barth's Nachrichten über den Benue wurde besonders die Aussendung der Nigerfahrt (unter Baikie) veranlasst, und Pogge hat bereits, von den Tuschilange aus, Deutschlands Annectionen [2]) eingeleitet, worüber von der seitdem durch die afrikanische Gesellschaft ausgesandten Expedition weitere Bestätigung zu erwarten wäre. Auch war von derselben (vor den Franzosen in Punta Negra) an der Loango-Küste (in Chinchoxo) Besitz ergriffen, wissenschaftlicher wenigstens, wie von dem als Eingangsthor erkannten (und von Brazza dafür, bei seiner Rückkehr, benutzten) Quillu (1873); s. Deutsche Expedition an der Loangoküste I, S. 366 (Jena 1874).

Auf diesem Felde der Entdeckungen haben Deutschland und England im wissenschaftlichen Wettstreit mit einander gerungen, und jede der beiden Partheien wohlverdiente Lorbeeren davongetragen, gerne gegönnt und gegenseitig ausgetheilt.

In der Rivalität um Handelsinteressen pflegt man sich härter zu stossen, aber auch hier kann unter Freunden alles freundschaftlich abgehen, und es liesse sich bei dieser Gelegenheit an manche Vertreter der deutschen Presse die Frage richten, wesshalb sie allzuoft in den Colonialerörterungen eine Animosität zur Schau tragen, welche in Mehrzahl der Fälle weder des

---

1) Little Batonga (the most northern and westerly) is, with a river of that name, included within the greater part of territory inclosed within the Bight of Panavia, big Batanga comprises the territory at the coast extending from Cape Gara-jam to the river Campo (s. Untchinson). Camaroons ist ein Collectiv-Name für alle die ansehnlichen Negerdörfer, die an der Mündung des Camaroonsflusses auf der linken Seite dicht gedrängt liegen (s. Heinersdorf). Zwischen Alt- und Neu-Kalabar treten Calbaner (am Amboze), neben Camaroons (als Krebse).

2) Oder, wenn man will, beim Muata Yamvo früher, dessen nominelle Oberhoheit sich unbestimmt erweitern liesse, gleich der des Kaisers von Congo, wie ihn die portugiesischen Entdecker bezeichneten. „Nachdem bei der Unabhängigkeitserklärung des Königs von Loango auch Ngojo sich losriss, und Angola in fremde Hände gefallen war, scheinen die Grenzen südlich der Dande, nördlich der Zaire gebildet zu haben, und noch jetzt wird von allen in diesem Bezirke wohnenden Stämmen dem Herrscher von San Salvador eine gewisse Oberhoheit zugestanden". (Besuch in San Salvador, Hauptstadt des Königreichs Congo, S. 170).

speciell behandelten Objectes werth, noch der Nationalehre würdig und angemessen erscheint.

Wie stehen wir zu dieser Angelegenheit? Durch ein entscheidendes Wort an massgebender Stelle mit rechtem Ausdruck zur rechten Zeit, ist ein Jahrhunderte schwebender Streit siegreich entschieden, entschieden durch einen einzigen Schlag, mit der Klaue, die den Löwen beweist.

So lange wir die Unterdrückten waren, die im Durchschleichen durch Amphitrite's, freies Reich ihre Flagge kaum zu zeigen wagten, die sich verspottet fühlten wegen ihrer „Konsuln ohne Kanonen", so lange war sensible Empfindsamkeit entschuldbar nicht nur, sondern menschlich zugleich: „humanum est, nihil etc. . . ."

Jetzt stehen wir da als Sieger, jetzt liegt die Empfindlichkeit auf der andern Seite. Als nach dem glorreichen Feldzuge die Hauptstadt des Gegners gedemüthigt, da übersah man es gern, als der verletzte Nationalstolz sich in den Hetzblättern mit Schmähungen Luft machte, und unsere politische Presse bewahrte eine ihr damals würdige Stellung kühler Gleichgültigkeit. Wir fühlten uns gesichert auf einem Standpuncte, bis wohin kleinliche Wühlereien nicht zu reichen vermochten. Wie nach Nettelbeck's Erlebnissen in Lissabon, oder seines deutsch-holländischen Kapitäns in Marocco, der Name des grossen Friedrich als allgemein bewunderter die Welt durchklang, so gegenwärtig der des greisen Heldenkaisers, des Sohnes, der in aller Herzen lebt, des Feldherrn, der das Schwert, des Kanzlers, der Schwert und Feder, und die Feder als Schwert, zu führen weiss. Nachdem diejenigen, in deren Hand das Volk seine Geschicke gelegt, diese in so glanzvoller Weise auf die Zukunft hinaus gesichert haben, steht es dem Einzelnen nicht länger an, sich in Klopffechtereien umherzuschlagen für eine Ehre, der ihr Recht bereits geworden, und die durch unverständige Parteinahme nur vielleicht vorübergehend compromittirt werden kann. Prinzipiell ist der Kampf entschieden. Das kleine Büchtlein, (ob ein Sandloch oder schlimmer noch), hat uns ein Prinzip erfochten, mit dem es mehr als vollauf sich bezahlt hat und einen geachteten Namen fortführen wird, dessen Bedeutung sich nur abschwächen würde, wenn auf Schönfärberei später die Rückschläge bitterer Enttäuschungen folgten. Man lasse es also, wie es ist, überlasse es dem energischen Besitzergreifer, der schon für sich das Seinige daraus machen wird, und der auch selbst, verständig genug, in Beantwortung der an ihn adressirten Zuschriften unreifen Projecten entgegentritt. Dass sich England das Gefühl einer Niederlage aufgedrängt, und die mit solcher unausbleibliche Empfindlichkeit in seiner Presse sich bemerkbar gemacht hat, ist erklärlich wenn nicht der Localität wegen, auf welche es einer Colonialmacht, die ihre africanischen Besitzungen (mit denen der Kapstadt darunter) selbst als lästige „bore" betrachtet, weniger ankommt, — sondern auf Grund des durchbrochenen Principes einmal, und dann aus den komplizirten Verhandlungen, worin sich der Mutterstaat mit seiner Colonialregierung verstrickt sieht, um einen gegenseitig möglichen modus vivendi zu bewahren, des weder Zuviel noch Zuwenig. Auch in England giebt es Winkel- und Käseblätter, bei denen auf einen groben Klotz ein grober Keil gehört, aber im Durchschnitt muss die Auffassung der massgebenden Journale, nachdem die Wallung erster Aufregung vorüber ist, als eine massvolle erachtet werden. So wird es auch in Deutschland den Redactionen der leitenden Blätter als Aufgabe zu gelten haben, sich nicht jedesmal von der augenblicklichen Tagesstimmung umherwerfen zu lassen, sondern diese eben zu leiten und zu regeln nach den Ergebnissen weiterschauenden Ueberblickes, — unter Festhaltung also, vor allem, an den in der Politik geschichtlich bereits festgestellten Grundprinzipien.

Darunter aber hat als eines der unverkennbarsten zu gelten, dass Deutschland und England zur Bundesgenossenschaft prädestinirt sind, zum Besten der Kulturgeschichte im grossen und ganzen, im kosmopolitischen Sinne, und dass kein schwererer Schlag auf diese treffen könnte, als eine dauernde Missstimmung dieser beiden Staaten, die in jedem Kulturkampfe zusammen zugehen haben, die also historisch geeinigt sind für weit höhere Interessen als eines Colonialfleckes auf dem Globus hie und da. Als Endresultat wird ein solches Facit im gesunden Volkssinne auch stets herausgerechnet werden und sich geltend machen, aber in der Zwischenperiode auch, lässt sich kein verständiger Grund absehen für unnöthiges Spielen mit dem Feuer, zur Anfachung nationaler Antipathien, wo es gegentheilig gerade Sympathien zu stärken, beiderseitiger Vortheil wäre. Dass die Gemeinsamkeit der Interessen auch durch Deutschlands Eintritt in Colonialbestrebungen nicht gestört zu werden braucht, haben englische Blätter bereits anerkannt und bei den durch verständige Leitung anerkannten Vertretungen unserer Presse, wird auch von dieser Seite voraussichtlich beigetragen werden, zur Tagesordnung überzugehen, um Alles, nachdem wieder in Ordnung gebracht, auch in Ordnung zu halten.

Je dominirender Deutschlands Stellung in Mitteleuropa, auf dem Continente sich gestaltet, desto weniger wird es dort auf aufrichtige Freunde rechnen dürfen, weder im Westen noch im Osten, da schon das Selbstinteresse auf beiden Seiten dies verbietet. England dagegen ist durch seine insulare Lage unabhängig gestellt, in der Wahl von Freund und Feind, und sein Selbstinteresse wieder wird es, schon in seinem Character als protestantischer Staat, unter den Continentalmächten auf Deutschland in natürlicher Bundesgenossenschaft führen, so dass, trotz gelegentlicher Verstimmungen, die eintreten mögen, die naturgemässe Harmonie stets dann nur hergestellt sein wird, wenn wie im bisherigen Laufe der Geschichte, auch fernerhin Deutschland und England zusammengehen, im beiderseitig klar und deutlich vorgeschriebenen Interesse einer jeden unter den zwei contrahirenden Partheien. Und im Verständniss eigenen Selbstinteresses, hier und dort, abgeschlossene Freundschaft wird, zum Besten gemeinsamer Culturaufgabe, die Stürme überdauern, in welchen die aus eigennützige Tagesstimmung gelegentlich (rechts und links) hervorsprudelnden Liebeserklärungen rasch verwehen. So hat sich auch der

Politiker nicht von der Tageslaune schankeln zu lassen, sondern seinen Cours zu richten nach dem Polarstern derjenigen Prinzipien, die sich ihm aus der Geschichtslehre als für das angestammte Volk heilsam herausrechnen. Dann folgt die Zeitströmung ihrer geschichtlichen Bahn.

Die begünstigte Ausnahmsstellung, welche der gegenwärtig zunächst die Aufmerksamkeit fesselnde Kamerun an afrikanischer Westküste einnimmt, spiegelt sich in den Eindrücken eines alterfahrenen Reisenden auf dortigem Boden: taking a view from the Deck of a ship in the Old Kalabar river, near its mouth (1857), with the peaks of Kameroons and Fernando Po, the Qua and Rumby range of mountains in view (that seem, to use the words of Captain Owen, „like the tombstones of a past earthquake") — no scene in the world can be so sublimely different, from what is generally conceived of the features of African landscape *(Hutchinson)*, und nirgends, als gerade dort, eröffnen sich grossartigere Prospecte für den Eintritt in's Innere, in der Richtung auf Adamaua, das als „reichstes Land" in Afrika's Centrum bezeichnet worden, mit weiten Flussgebieten links und rechts, mit Wasseradern und deren Wegebahnen ohne Zahl, am Niger und am Congo, wo deutsche Reisenden bereits thätig sind, hier wie dort. So also ein Glückauf ihnen Allen! und wenn sie auch, für die Dauer wissenschaftlicher Expeditionen den bei Baikie's Erkundigungsfahrten ertheilten Instructionen [1]) ihre (local modificirbare) Gültigkeit zu schenken haben, werden doch, bei verständig geleiteten Untersuchungen, die practischen Resultate nicht ausbleiben, im naturgemässen Verlauf (dessen Gang, aus einem Ueberblick der letzten Decennien bereits erkennbar vor Augen liegt).

1) It is most desirable to impress on the chiefs that you are there as traders, not as colonists, not as acquirers of land (1857), und bei Handelseifersucht ist dann wieder aus den Sammlungszwecken ein Erklärungsgrund zu entnehmen (wie in Loango z. B.). Allerdings sind die Küstenflüsse schwierig, nicht nur des verrufenen Klima's wegen, sondern auch der steten Zänkereien und Schlägereien zwischen kleinlichsten Rivalitäten, in einem Lande ohne Autorität, besonders am Camerunflusse: „Der Missionar Fuller hatte dort einen schweren Stand. Oft ward er beraubt und selbst das Leben der Missionsfamilie war bedroht, so dass diese Station 1869 aufgegeben werden musste, da auch ein englisches Kriegsschiff nichts Nachhaltiges zum Schutz der Missionare thun konnte" (s. Grundemann). Europeans coming out solely to barter legitimately for the country's products, ought not to interfere in matters of local government (in the rivers of the Bight of Biafra), und das Bedürfniss internationalen Schutzes wird an jeder Localität derjenigen Nation am Nächsten liegen, deren Angehörige dort vorwiegend vertreten sind (in gegenseitigen Aushülfen).

DEUTSCHLANDS

INTERESSEN IN OSTASIEN

ALS MANUSCRIPT GEDRUCKT.

(BERLIN 1871.)

Indem die, viele der wichtigsten Nationalinteressen berührende Frage über die Erwerbung einer deutschen Flottenstation und die dafür in Ostasien geeigneten Plätze neuerdings wieder Gegenstand der Erörterung geworden, indess nicht immer mit genügender Sachkenntniss und Einhaltung der richtigen Gesichtspunkte besprochen scheint, so sind aus der hiesigen Gesellschaft für Erdkunde einige, mit Ostasien und den dortigen Handelsverhältnissen durch persönliche Anwesenheit oder durch ihre Studien und sonstige Beziehungen vertraute, Mitglieder derselben zusammengetreten, um die leitenden Grundzüge festzustellen, die in der Hauptsache als Basis für eine derartige Untersuchung dienen müssen.

Im Werthumsatze des Welthandels fallen einige der höchsten Ziffern in denjenigen Verkehr, der zwischen Europa und Ostasien, besonders China und seinen Nebenländern, besteht.

Deutschland ist an diesem Weltverkehr bereits in sehr ansehnlicher Weise betheiligt. Die Zahl der deutschen Kaufleute zu den englischen, die in Folge der augenblicklichen Weltlage dort nothwendig die erste Rolle spielen, verhält sich ungefähr wie 1 : 3, übertrifft aber die aller übrigen Nationen. In ungefähr demselben Verhältniss steht die Zahl der deutschen Schiffe zu den englischen, was die grossen Fahrten betrifft; wogegen die Küsten-Schifffahrt ziemlich ausschliesslich durch deutsche Schiffe versehen wird.

Der schon jetzt so bedeutende Handel Europa's mit Ostasien, dessen jährlicher Werthumsatz auf beiläufig 100 Millionen Pfd. Sterling [1]) berechnet wird, muss sich voraussichtlich in den nächsten Jahrzehnten in noch unübersehbarer Proportion vergrössern, indem China, so bald die auf Eisenbahnen und Telegraphen herbeigeführten Einflüsse des europäischen Zeitgeistes dort die nationalen Vorurtheile (wie bereits in Indien die Kastenschranken) gelockert haben werden, für die europäischen Fabrikate einen ungeheueren Absatzmarkt eröffnen muss, auf dem seine nach Myriaden zählenden Bewohner als Consumenten eintreten, und so die bisher wegen überwiegender Ausfuhr verhältnissmässig ungünstige Bilanz des chinesischen

Handels durch die Vermehrung der Einfuhrartikel um so günstiger gestalten werden.

Der schon jetzt so beträchtliche Antheil Deutschlands an dem dortigen Handel, der an der in nächster Zukunft bevorstehenden Erweiterung desselben proportionell Theil nehmen wird, darf mit vollem Recht auf genügenden Schutz Anspruch erheben und verlangt denselben nicht nur für sich, sondern noch im Hinblick auf die nationalen Interessen, die in seiner Blüthe involvirt sind.

Ein solcher Schutz kann nur durch die Anwesenheit deutscher Kriegsschiffe gewährt werden, da in Ländern*), mit denen nicht (oder doch nur beschränkterweise) eine gegenseitige Dicäodosie (ein Commercium juris praebendi repetendique) zur Anerkennung kommt, das Recht des Stärkeren noch in voller Kraft steht. Damit aber die deutsche Flotte in jenen, durch die halbe Ausdehnung des Globus von uns getrennten Meeren eine wirksame Stütze gewähre, ist es (nach Ansicht Sachverständiger unserer Marine) ihrer eigenen Sicherheit wegen durchaus nothwendig, dass sie den festen Punkt einer Flottenstation besitze, wo sie als auf eigenem Grund und Boden einen Vereinigungspunkt und das für ihre Ausrüstung oder Erneuerung desselben nöthige Kriegsmaterial finde.

Bei den in tief begründeten Volkseigenthümlichkeiten wurzelnden Sympathien Deutschlands und Englands wird ein Krieg zwischen beiden Nationen wie in früherer Zeit hoffentlich auch später für immer vermieden werden; ganz ausserhalb der Möglichkeit liegt indess ein aus politischen Controversen hervorgerufener Conflict darum noch nicht, und sollte er gleichzeitig eintreten mit den Revolutionen, die den einheimischen Staaten des Ostens bevorstehen, so würde nicht nur die dort anwesende Flotte, nicht nur der deutsche Handel und alle seine weitreichenden Interessen, seine unermesslichen Capitalien auf das Aeusserste gefährdet sein, sondern selbst (wie neuerdings wieder das Massacre in Tientsin gezeigt hat) das Leben der Individuen, deutscher Staatsangehöriger; denn seitdem man selbst in europäischen Kriegen die völkerrechtlichen Verbindlichkeiten so weit aus den Augen gesetzt hat, um die Unterthanen eines fremden Staates zu vertreiben, ist in jenen schon jetzt fast rechtslosen Ländern in Zeiten gewaltsamer Umwälzungen das Schlimmste zu befürchten.

Das aber jene ostasiatischen Reiche in durchaus nicht fern liegender Zeit von den gewaltigsten Convulsionen betroffen werden müssen, dafür sind die Anzeichen deutlich genug, und der Sachkenner der uns aus einer Periode von fast 3000 Jahren mehr oder weniger genau bekannten Geschichte China's kann nicht daran zweifeln, dass dieses alte Reich auf's Neue von einem jener Dynastienwechsel bedroht ist, von denen es im Laufe seiner langen Geschichte selten oder nie für mehr als 2—300 Jahre verschont blieb, zumal die jetzt in allen Provinzen ausbrechenden Gährungen durch den plötzlichen Contact mit der europäischen Civilisation, dem mächtigen und zunächst, wie es sich überall gezeigt hat, nur Unordnungen hervorrufenden Einströmen fremder Ideen beschleunigt werden müssen.

Wenn diese mit Sicherheit zu erwartende Katastrophe[3]), der (nach Analogie der früheren) ein Jahrzehnte oder selbst Jahrhunderte dauernder Zustand völliger Rechtslosigkeit folgen mag, eintreten sollte, so werden nur diejenigen Nationen Europa's im Stande sein, ihren Einfluss und also eine Theilnahme an den möglichen Handelsvortheilen zu bewahren, die eine Achtung gebietende Macht vor den Augen jener Halb-Barbaren[4]) zu entfalten vermögen, die also bereits einen festen Fuss in den dortigen Meeren gefunden haben und von dort aus ihre Operationen zu leiten vermögen.

Die Erwerbung einer deutschen Flottenstation ist deshalb als eine Vorsichtsmassregel zu betrachten, um gewappnet und vorbereitet zu sein für das, was eintreten wird und eintreten muss; sie hat als eine Warte zu dienen, um von dort die kommenden Conjuncturen zu beobachten, um im geeigneten Augenblick eingreifen zu können und Deutschland auch fernerhin seinen gebührenden Antheil an einem Verkehr zu sichern, in dem die höchsten Werthe des Welthandels umgesetzt werden.

Einen directen Einfluss auf den bereits bestehenden Handel auszuüben, würde in keiner Hinsicht wünschenswerth sein, da der Handel sich um so kräftiger und frischer zu entwickeln pflegt, je freier und ungehinderter er sich bewegen kann, und gerade die deutschen Kaufleute in Ostasien stolz sein können auf das, was sie aus eigener Kraft und Tüchtigkeit geschaffen haben.

Wenn es sich nun mitunter der Ansicht des Handelsstandes (obwohl immer nur eines Theils desselben) ausgesprochen findet, dass am besten Alles so bliebe wie vorher, und das es keiner Flottenstation bedürfe, so ist es leicht erklärlich, dass der Kaufmann, ein so guter Patriot er auch als Privatmann sein mag, sich in seinen Handelsoperationen nicht von patriotischen, sondern von commerciellen Rücksichten leiten lassen muss, und dass er während seiner Geschäftsjahre, wenn die Aspecten momentan günstig sind, gegen jede Veränderung seine Bedenken haben wird. Es ordnen sich dagegen die Ereignisse unter einem höheren Gesichtspunkte zusammen, wenn der Staatsman sein Urtheil zu fällen und aus den Zeugnissen der Vergangenheit die Lehren zu entnehmen hat, wie schon in der Gegenwart den aus der Zukunft drohenden Gefahren vorgebeugt werde.

Ausserdem stimmen alle in China ansässigen Kaufleute, trotz ihrer sonst verschiedenen Ansichten, darin überein, den Schutz[5]) der deutschen Flagge, ein häufiges Erscheinen deutscher Kriegsschiffe[6]), Sicherheit der Kauffartheifahrer gegen die Piraterei zu verlangen; bei dauernder Anwesenheit eines Theils der Flotte in den ostasiatischen Gewässern wird aber für genügende Sicherung derselben in stürmischen Zeiten eine Flottenstation[7]) verlangt, zumal seit Eröffnung des Suezcanals die dortigen Kohlenbedürfnisse sich in bisher unbekanntem Maasse steigern werden.

Obwohl nun, wie bereits bemerkt, die Gründung einer Flottenstation rein im Interesse der Marine, ohne jede absichtliche Nebenbeziehung auf den Handel, der am besten fessellos bleibt, vorzunehmen wäre, so würde dieselbe dennoch nicht lange ohne eine günstige Nachwirkung auf denselben bleiben können. Bei dem jetzigen Gang des chinesischen Handels kommt auf Deutschland nicht entfernt derjenige Antheil, zu dem es nach der Ausdehnung seiner Mitwirkung berechtigt wäre, indem die Geschäfte vorwiegend über England gemacht werden, auf natürlich eingeleiteten Bahnen, die nicht abzulenken sind und die am wenigsten künstlich oder gewaltsam zu ändern wären. Dennoch liegt es nicht ausser dem Bereich der Möglichkeit und zeigt sich selbst bis zu einem gewissen Grade sehr wahrscheinlich, dass beim Vorhandensein einer deutschen Besitzung in jenen Gegenden (wo augenblicklich weder eine deutsche Bank noch Filialen solcher bestehen) mancherlei Veränderungen veranlasst werden mögen, wodurch vielleicht schliesslich von selbst ein Theil des Handels[6]) mit den deutschen Börsen gemacht werden würde. Jedenfalls dürfte sich sogleich nach Besitznahme einer deutschen Flottenstation[7]) ein deutscher Postdampferdienst (der bisher neben dem englischen und dem, seit Besetzung Saigons entstandenen französischen gefehlt hat) unzweifelhaft herstellen, und obwohl solcher Postdienst sich zuweilen unfähig zur Selbsterhaltung zeigt, so hat er unter der geschulten Leitung deutscher Unternehmer doch häufig bedeutenden Profit geliefert. Aus verschiedenen Quellen darf der Nationalwohlstand auf einen spontanen Zuwachs rechnen, der schon direct einen nicht unbedeutenden Antheil der durch Herstellung der Station veranlassten Kosten und der Vermehrung des Marinebudgets decken würde.

Das bedeutungsvollste Resultat, das die Anlegung einer Flottenstation verspricht, erschliesst sich dann aber noch aus einer Gedankenkette, deren Richtigkeit durch frühere Thatsachen der Colonisationsgeschichte zu controlliren ist. China ist in gewissem Sinne seit seiner Eröffnung im Jahre 1860 (also seit einer zu kleinen Periode, um schon jetzt den vollen Effect zu spüren) als ein neu entdeckter Erdtheil zu betrachten, und in kurzer Zeit, sobald die anfänglichen, aber bereits in der Abschwächung begriffenen Vorurtheile gefallen sind, muss der Moment eintreten, wo seine die Bevölkerung Europa's an Zahl übertreffenden Menschenmassen als Consumenten auf dem europäischen Handelsmarkt erscheinen und die dortige Production in einer Weise steigern werden, wofür noch keine volle Parallele vorliegt. In unlängst vergangener Zeit ist ein aufklärendes Schauspiel durch Indien geboten, dessen grossbritannische Handelsherrn anfänglich die einheimische Baumwollen-Industrie dieses alten Manufacturlandes zu Exporten benutzten, sie später dann durch ihre vervollkommneten Fabrikationen ertödteten und so seit Anfang dieses Jahrhunders ihrerseits die 140—150 Millionen der Eingeborenen bekleideten, wodurch ein nicht unbedeutender Grund zu dem ungeheuren Nationalreichthum Englands gelegt wurde. In ähnlicher Weise wird der

Wendepunkt kommen, wo die schwerfällige Industrie China's nicht länger mit den europäischen Erfindungen concurriren kann, wo europäische Fabrikate zu billigerem Preise auf den chinesischen Markt gebracht und also dort gekauft werden müssen. Wenn sich diese, eine kolossale, aber bis jetzt völlig unberechenbare Steigerung der europäischen Industrie nothwendig veranlassende Handelsconjunctur bemerkbar zu machen anfängt, wie es zum Theil schon jetzt[10]) der Fall ist, so wird auch diesmal wieder England den ersten und hauptsächlichsten Vortheil daraus ziehen. Für das deutsche Binnenland, für die hauptsächlichsten Fabrikbezirke, ist Ostasien noch eine fremde Welt, um die sie sich zu kümmern wenig Interesse zu haben meinten, so lange Deutschlands Handelsinteressen in den Hansestädten allein concentrirt schienen, und die gründlicher kennen zu lernen die Zeit seit 1866 zu kurz gewesen ist. Es gilt vor Allem, ein Verstandniss für jene bisher geradezu unbekannten Gegenden, für die nationalen Interessen an dem gewaltigen Welthandel bei uns im Binnenlande[11]) zu erwecken, und zwar rasch und ohne Verzug, ehe alle Plätze an demselben besetzt sind. Die Bestrebungen, durch Staatsexpeditionen oder officielle Belehrungen das richtige Interesse wach zu rufen, schlagen gewöhnlich fehl, denn der Fabrikant wie der Kaufmann ist misstrauisch, wo er die Absicht merkt, und der Handel pflegt ein eigensinniges Kind zu sein, das seine eigenen Wege zu gehen wünscht und sie sich auch stets rüstig zu bahnen pflegt, das aber nicht am Gängelband geführt sein will. Hätte Deutschland eine ostasiatische Besitzung, auf der die deutsche Flagge weht, so würde das schon allein genügen, die Augen des ganzen Landes auf Gegenden zu richten, deren Existenz sonst völlig gleichgiltig schien; man würde sich über die Verhältnisse dieser Besitzung zu imformiren suchen, man würde auch die Nebenländer in Betrachtung ziehen, man würde die Lebendigkeit des dortigen Handels bemerken und der deutsche Fabrikant würde gar bald erkennen, welche Stelle er in demselben zu spielen berufen sei. So würde die Regierung durch Anlegung einer Flottenstation indirect diejenigen Wirkungen hervorrufen, für die directe Massregel nichts erzielen und möglicherweise selbst nachtheilig wirken könnten.

Das nationale Interesse scheint deshalb in jeder Weise eine Besitzergreifung in den ostasiatischen Gewässern zu verlangen, nicht nur damit Deutschland in einer seiner Stellung als Grossmacht würdigen Weise dort vertreten sei, sondern auch damit Industrie und Handel[12]) in der ganzen Fülle der ihnen innewohnenden Kräfte sich auf jenem fruchtbaren Boden entwickeln mögen.

Man hört vielfach die Fragen, über das Wünschenswerthe einer Flottenstation mit unklaren Colonisationsprojecten durch einander geworfen, und die Befürchtung ausgesprochen, dass dadurch mancherlei Verwickelungen heraufbeschworen werden würden. Man stellt das Schreckbild einer Colonialpolitik auf und räth davon ab, an dem Althergebrachten zu rühren. Glauben diese vorsichtigen Politiker, solche Verwickelungen loszuwerden, indem sie dieselben für den Augenblick noch von der Hand weisen können? Scheint es nicht eine verderbliche Kurzsichtigkeit, vor Verwickelungen zurückzuschrecken, die immer zu lösen sein werden, und die an Schwierigkeit wachsen müssen, je länger man ihre Lösung beanstehen lässt? Will Deutschland sich nicht seinerseits durch eine chinesische Mauer abschliessen, will es fortfahren, an dem grossen Welthandel Antheil zu haben, will es dem Glanze seiner nationalen Wiedergeburt gemäss in demselben vertreten sein, so wird es immer früher oder später in die gefürchteten Verwickelungen hineingezogen werden, und wenn es sich nicht entschliesst, unter den augenblicklich günstigen Momenten freiwillig in dieselben einzutreten, so wird es später unter voraussichtlich weit ungünstigeren*) Verhältnissen gewaltsam dazu gedrängt werden, und eine aufgezwungene Entwirrung pflegt weit grössere Opfer aufzuerlegen, als eine selbstgewählte.

Ueberhaupt sind die Anknüpfungen zu den Verwickelungen, die man fürchtet, auch schon heute gegeben. Es handelt sich gar nicht länger darum, ob Complicationen herbeigeführt werden sollen oder vermieden werden könnten, sondern es liesse sich nur die Frage stellen, ob die bereits bestehenden jetzt auch von uns selbst schon zu lösen seien, oder ob wir es für gerechtfertigt halten dürfen, diese mit jedem Tage erschwertere Aufgabe unseren Nachkommen zuzuschieben. Wollte man die Verwickelungen überhaupt (oder vielmehr die Möglichkeit in dieselben jeden Augenblick ohne bestimmte Vorausberechnung hineingezogen zu werden), abschneiden, so müsste eben vorher der ostasiatische Handel abgeschnitten und durch einen Machtspruch verboten werden, denn so lange einmal die Fäden desselben Deutschland mit jenen unsicheren Küsten in Verbindung setzen, so lange sind wir beständig der Gefahr ausgesetzt, zu irgend einer Zeit im Herzen unserer Heimath durch Hülferuf aus der Ferne allarmirt zu werden. In allen Dingen verlangt freie und ungehinderte Entfaltung als erste Vorbedingung eine feste gesicherte Stellung, und wie in unserem Vaterlande Freiheit ohne Einigung und der dadurch gewährten Macht eine Chimäre wäre, so wird sich auch der deutsche Handel in der Fremde erst dann ungehindert und frei fühlen können, wenn er eines genügenden Schutzes gewiss ist. Wer auf die bisherige Blüthe des deutschen Handels trotz seiner Schutzlosigkeit hinweist, verblendet sich selbst durch unbewusste Trugschlüsse. Schutzlos im eigentlichen Sinne hätte der Handel in China nie bestehen, ja nicht einmal begonnen werden können. Aus zufälligen, obwohl natürlich erklärten Verhältnissen des deutschen Handelsstandes in China hat sich derselbe unter der Aegide des englischen Prästigiums zu decken vermocht und nach der Beendigung des Krieges gleichsam unter englischem und französischem Protectorat gestanden, wie die meisten der sonst dort ansässigen Nationalitäten Europa's, denen (gleich

*) (Halb-Indonesien, in der Pracht alter Monumente, mit neuen Hauptstädten dicht gedrängter Bevölkerung auf der einen Seite, und (auf der anderen) Namaqualand mit zerlumpten Wanderhorden. Doch hat auch dieser Südwesten durch das centrale Kamerun erhöhtes Interesse gewonnen). Nachtrag (1884).

unserer eigenen) der Abschluss von Verträgen ermöglicht wurde, weil die Alliirten dem Mittelreiche (die Americaner dem japanesischen Inselreich) solche Zugeständnisse abgezwungen. Wie lange diese anomale Stellung fortdauern wird, und ob sie überhaupt länger fortdauern darf, ist eine Frage für sich, die vielleicht nicht einmal Seitens der in Europa Betheiligten, sondern von den Ostasiaten selbst ihre Entscheidung erhalten mag. Wenn man sich in China bisher begnügte, sämmtliche Angehörige des europäischen Erdtheils in die allgemeine Classe der Westbarbaren zusammenzuwerfen, so beginnt man jetzt, durch Gesandtschaften und längeren Verkehr aufgeklärt, deutlicher die dortigen Staatsverhältnisse zu unterscheiden, und Japanesen beziehen bereits die deutschen Hochschulen, das europäische Staats- und Völkerrecht zu studiren. Die Zeit wird deshalb nicht mehr fern sein, wo die Chinesen und Japanen ebensogut wie die übrigen Orientalen zwischen den Consuln mit Kanonen und den Consuln ohne Kanonen zu unterscheiden wissen werden, und Deutschland, auch wenn es ferner auf die aufrichtige Unterstützung der europäischen Seemächte rechnen könnte, von den ostasiatischen Machthabern selbst über sein Beglaubigungsdocument als Grossmacht interpellirt werden möchte und dann die genügende Antwort nur mit schwimmenden Batterien ertheilen kann.

Die Hauptschwierigkeiten für die Wahl einer Flottenstation lagen bisher in dem Bedenken, wo und wann die richtige Localität[13]) für dieselbe gefunden werden sollte. Während der 300 Jahre, die seit Benutzung des neuen Seeweges verflossen sind, hatten sich die damals seefahrenden Nationen Europa's das ostasiatische Areal unter einander vertheilt. Den Portugiesen waren die Holländer, diesen die Engländer gefolgt, und unter Mitwirkung der Spanier, Franzosen, Dänen war es gelungen, jeden irgendwie brauchbaren Punkt in Vorderindien oder dem indischen Archipel zu besetzen. Nur die Gebiete Hinterindien's blieben aus Ursachen, die sich aus der Geschichte der dortigen Staaten genügend erklären, von dieser europäischen Invasion verschont. Erst im laufenden Jahrhundert wurde in Folge der birmanischen Kriege die erste europäische Colonie auch auf hinterindischen Boden gepflanzt, und dieselbe bildete dann einen Annex des britischen Reichs in Vorderindien. Als deshalb die seit den unglücklichen Kriegen des vorigen Jahrhunderts in ihren überseeischen Besitzungen eingeengten Franzosen neuerdings nach einer Erweiterung derselben suchten, konnten sie es in der That als einen günstigen Handstreich[14]) erklären, dass ihnen die Besetzung Saigon's ermöglicht wurde, der letzte überhaupt noch wahlfähige Ort, wie sie es verschiedentlich gerühmt und ausgesprochen haben. Diese Colonie[15]) haben sie seitdem mit allen nöthigen Erfordernissen, mit Befestigungen, Arsenalen, Docks u. s. w. ausgestattet; sie haben alle die schweren Unkosten darauf verwendet, wie sie die derartig ersten Anlagen zu erfordern pflegen, und da sie ausgebaut und fertig dasteht, so würde, wenn die Erwerbung des

Rohmaterials bereits ein Glücksfall[16]) für Frankreich war, die Erwerbung des völlig verarbeiteten ein noch weit grösserer für Deutschland sein.

Durch ihre in Folge von Agitationen der Missionäre in Tonkin veranlassten Kriege sind die Franzosen, die als Vorkämpfer einer religiösen Propaganda die Eingebornen in ihrer empfindsamsten Seite verletzten, von jeher in feindlichem Conflict mit dem früheren Herrscher des unteren Cochinchina geblieben und haben zu den drei anfänglichen Provinzen drei weitere annectirt, sowie das Protectorat von Kambodia hinzugefügt. Eine europäische Macht, die als neuer Besitzer einträte, könnte sich auf Saigon[17]) und nächste Umgebung beschränken und würde das beste Einvernehmen mit den Annamiten herzustellen im Stande sein, wenn sie sich nur das Protectorat über die weiteren Provinzen bewahrte und die Bewohner im Uebrigen zu ihrer nationalen Verwaltung zurückkehren liesse. Dass irgend sonstige Verwickelungen, ein Zwang zu weiteren Eroberungen aus der Besitznahme erwachsen sollten, ist durch den indolenten und nachgiebigen Charakter der dortigen Völker[18]), sowie der buddhistischen Religion derselben, besonders der Kambodier und Siamesen, von vorneherein ausgeschlossen, wie auch ihre schwache Bevölkerungszahl ohnehin jeden Widerstand unmöglich macht, so dass die durch muhamedanischen Fanatismus unter der dichtgedrängten Bevölkerung Java's oder Vorderindien's aufgestachelten Meutereien hier nicht als Analoga dienen können, eher die friedlichen Niederlassungen der Spanier in den Philippinen.

Das Klima[19]) Saigons wird als verhältnissmässmässig gesund bezeichnet, da endemische Krankheiten fehlen, oder doch nicht so mörderisch sind als in benachbarten Sumpfländern, wo Engländer und Holländer volkreiche Städte gebaut haben. Die Chinesen in Cochinchina erfreuen sich durchgängig guter Gesundheit. Die Manchem auffällige Kränklichkeit der sogenannten Eingeborenen erklärt sich daraus, dass die jetzt dort wohnenden Annamiten selbst Einwanderer sind, aus (wegen ihrer hohen Lage) kälteren Klimaten, so dass sie sich ungefähr in Saigon unter denselben ungünstigen Dispositionen finden, wie die Europäer. Da die letzteren bessere Vorsichtsmassregeln gegen den Temperaturwechsel treffen können, so ist auch im Ganzen ihr Gesundheitszustand ein befriedigender, als der der Annamiten, und selbst der der letzteren hat sich seit der europäischen Besitznahme durch Erlernung einiger Vorsichtsmassregeln, durch Canalisation, Anpflanzung und andere Einrichtungen gebessert. Im Uebrigen ist natürlich das Klima Saigons, als unter den Tropen gelegen, nothwendig[20]) ein der europäischen Constitution feindliches da diese von der Natur für ein gemässigtes Klima geschaffen war. Es giebt unter den Tropen Plätze, die gesunder, es giebt andere, die viel ungesunder sind, als Saigon, und ausserdem hängen die Gesundheitsverhältnisse solcher Stationen allzu häufig von einer Menge Agentien ab, die sich bis jetzt noch in keiner Weise klar durchschauen lassen, wofür Hongkong[21]) ein eclatantes Beispiel bietet. Bei vernünftiger Lebensweise, bei Anwendung hygienischer Vorsichtsmassregeln, wie sie jetzt genauer bekannt sind, lässt sich ein jedes

Klima in den Tropen[22]) ertragen, und ausserdem würde für die Zwecke der beabsichtigten Flottenstation immer in den Tropen zu wählen sein, so dass Saigon, wenn sich andere Vortheile damit verbinden, am empfehlenswerthesten bleibt.

Ein Einwand, dem (dem ersten Anschein nach) mit Recht volles Gewicht beizumessen wäre, lässt sich (aber nicht nur gegen Saigon, sondern gegen jede Station in den Tropen überhaupt, und also gegen jedes Project, den Handel zu schützen aus der deutschen Heeresverfassung entnehmen und der allgemeinen Dienstpflicht. Indessen möchten sich diese Einwürfe durch eine sehr nahe liegende Massregel beseitigen lassen. Es würde in der That hart erscheinen, wenn der Staat, ohne durch vitale Interessen dazu genöthigt zu sein, den Aufenthalt in den Tropen anbeföhle; es würden sich aber eben so gewiss Tausende von Freiwilligen[23]) für den Kriegsdienst in den Tropen (wie jetzt für den holländischen in Java) finden, wenn ihnen dadurch Erleichterungen der einen oder anderen Art gewährleistet würden, ebenso wie der Kaufmann ohne Bedenken, pecuniärer Vortheile wegen, die Tropen besucht und dort oft den besten Theil seines Lebens verbringt. Die Franzosen schätzen die für Saigon nöthige Besatzung auf 5000—6000 Mann. Nach einem friedlichen Abkommen mit dem Könige Tonkins[24]) würden 1000 Mann europäischer Truppen sicherlich genügen; und wenn sich das Bedürfniss einer stärkeren Macht zeigen sollte, so liessen sich aus den Eingeborenen Seapoysregimenter[25]) ausheben, wie es in Vorderindien von den Engländern geschieht. Die Flotte ist von vorn herein auf die auch schon jetzt stattfindenden Fahrten in die Tropen angewiesen und kann durch ein verständiges Regime gegen die in den Stationen drohenden Schädlichkeiten wenigstens zum grossen Theil geschützt werden, während der Gesundheitszustand auf offener See der beste zu sein pflegt.

Ob bei einer Erwerbung des unteren Cochinchina[26]) (mit Pulo-Condore) auch die in dem Boden[27]) selbst liegenden Schätze dieser früheren Kornkammer Annam's und der verschiedenen Fahrstrassen[28]) in das Hinterland auszubeuten sein weeden, hängt von der Vorfrage ab, ob eine Colonie oder eine Flottenstation beabsichtigt sei. Im Allgemeinen lässt sich aus der geschichtlichen Gestaltung des Colonisationswesens leicht genug nachweisen, dass die Zeit, wo Colonieengründungen eine Nothwendigkeit oder doch angezeigt waren, bereits vorüber ist, und dass sie jetzt gegentheils oft zur Last geworden sind. Für den Augenblick müsste die Gründung einer Colonie als ein Anachronismus gelten, der statt Vortheile wahrscheinlich Nachtheile bringen würde. Indess wäre es bedenklich, zu behaupten, dass die Rolle der Colonien für immer abgespielt sei. Aehnliche Conjuncturen wiederholen sich häufig in der Geschichte[29]), und ob sich bei den bevorstehenden Umwälzungen in Ostasien ein gewisser Colonialbesitz nicht vielleicht später vortheilhaft zeigen mag, bliebe dahin gestellt.[30]) Grade die Besetzung Saigons würde die trefflichste Gelegenheit bieten, beiden Gesichtspunkten Rechnung

4*

zu tragen, ohne sich schon jetzt mit Bestimmtheit für den einen oder anderen zu entscheiden, da das oben angedeutete Protectorat je nach den später gewonnenen Erfahrungen als ein reales oder als ein nur nominelles geübt werden mag.

Es wird widerrathen, in dem gegenwärtigen Zeitmoment, wo die Consolidirung der einheimischen Interessen alle Aufmerksamkeit verlange, sich zugleich mit den überseeischen Beziehungen zu beschäftigen, obwohl gerade durch die Neugestaltung jener auch die Frage dieser um so brennender werden muss. Die Antwort hierauf hat sich aus der Abwägung zu ergeben, ob im Hinblick auf das Günstige des jetzigen Augenblicks die Nachtheile der vermehrten Anforderungen aufgehoben werden würden, oder ob die letzteren so gross seien, dass man lieber später die Nachtheile aus einer ungünstigeren Weltlage hinzukommender Hindernisse in den Kauf nehmen würde. Die Hoffnung, die Verpflichtung einer Lösung überhaupt los zu werden, eine Klärung der mit jedem Jahr wachsenden Schwierigkeiten zu finden, ohne einen selbstthätigen Eingriff in dieselben, wäre eine trügerische Illusion, die sich früher oder später strafen würde.

Ausser Saigon möchten (wenn es beabsichtigt sein sollte, über eine Colonienabtretung zu verhandeln) noch einige Inselgruppen des Stillen Oceans im Auge zu behalten sein, so vielleicht das central gelegene Tahiti[31]), das bei dem zwischen den Goldländern Californiens und Australiens eingeleiteten Verkehr eine bedeutsame Rolle zu spielen berufen sein dürfte In Ostasien wird es schwer[32]) sein, einen geeigneten Punkt noch nicht occupirt zu finden, da mit Saigon der letzte der brauchbaren weggenommen wurde. Die Weltgeschichte und der Weltverkehr centrirt stets um bestimmte von der Natur vorgemerkte Plätze, auf die er mit periodischen Unterbrechungen zurück zu kommen pflegt, während andere Localitäten für immer ausserhalb desselben bleiben werden. Inselgruppen, wie die Andamanen, die Nikobaren[33]), welche bis auf die jüngste Zeit von europäischer Besetzung frei geblieben, sind für dieselben eben gänzlich unbrauchbar, da sie ihrer Lage wie ihren klimatischen Verhältnissen nach überhaupt nie in die historische Bewegung hineingezogen werden können, und deshalb, obwohl seit Jahrtausenden auf allen Seiten von Culturstaaten umgeben, stets öde und wüst, der Aufenthalt von Wilden auf tiefster Stufe der Barbarei geblieben sind. Kambodia[34]) dagegen und mit ihm das dazu gehörige Unter-Cochinchina sind ein altklassischer Boden für die ostasiatische Culturwelt, ein Land, das dort einst eine ähnliche Rolle wie Griechenland in Europa gespielt hat, das heute zwar, gleich dieser Heimath der Hellenen, in seiner, durch einen Zusammenfluss unglücklicher Verhältnisse herbeigeführten, Verödung nur noch zerbröckelnde Monumente seines früheren Glanzes aufzuweisen hat, das aber jetzt wie früher die Möglichkeit besitzt, sich unter günstigen Verhältnissen wieder zu reichem Wohlstand zu erheben und das jedenfalls, wie seine vergangene Geschichte beweist, auf seinem Boden eine dichte und gesittete Bevölkerung zu ernähren und zu erhalten im Stande ist. Saigon oder Bhay Incor, die alte Hauptstadt kambodischer Könige, mag in den Händen einer europäischen Macht auf's Neue berufen sein, im grossen Verkehr zwischen Europa und China eine ähnliche Stellung einzunehmen, wie sie früher in dem engeren Cyclus der indochinesischen Geschichtsbewegung ausfüllte.

Bei der jetzigen Weltlage ist die Getchichtsaufgabe Europa's eine doppelte, indem es dieselbe nicht nur innerhalb der Grenzen des eigenen Erdtheils zu erfüllen, sondern zugleich die Geschicke des ganzen Globus zu lenken hat, über dessen gesammte Oberfläche das Fadennetz seiner commerciellen und industriellen Beziehungen ausgebreitet liegt. So wird jede der europäischen Nationen in den übrigen Hemisphären durch einen Reflex vertreten sein müssen, worin sich ein Bild der ihr gebührenden Stellung spiegelt. Die traditionelle und früher ganz gerechtfertigte Hansapolitik des Schmiegens und Biegens kann nicht länger von einer Grossmacht befolgt werden, die ihre selbstständigen Wege wandeln muss. Und gerade dann wären die schlimmsten Verwicklungen zu fürchten, wenn Deutschland, in Europa gross und mächtig, im Auslande sich gedrückt fühlte und vielleicht unter ungünstigsten Conjuncturen sich gezwungen sähe, eine Geltung zu erkämpfen, die ihm, wenn jetzt gefordert, Niemand bestreiten wird.

Obwohl die günstigen Rückwirkungen einer deutschen Flottenstation in den ostasiatischen Meeren kaum ernstlich in Zweifel zu ziehen sein dürften, soll über die Nothwendigkeit ihrer Erwerbung im gegenwärtigen Augenblick und die speciellen Vorzüge Saigons für solchen Zweck durch die vorliegende Erörterung doch in keiner Weise eine das politische Gebiet berührende Ansicht ausgesprochen werden, da die Entscheidung darüber von gleichzeitiger Abschätzung vieler sonstigen Verhältnisse bedingt bleiben muss, worüber den damit vertrauten Kreisen allein das richtige Urtheil zustehen kann. Es war nur beabsichtigt, eine, wichtige Interessen unseres Volkes berührende, aber von demselben, der Mehrzahl nach, wenig verstandene Frage unter denjenigen Umrissen darzustellen, wie sie im Falle einer Besprechung vom nationalöconomischen und geographisch-historischen Standpunkte aus aufzufassen sein würde.

Berlin im December 1870.

Anmerkungen.

1) In der Overland-China-Mail wird der chinesische Handel selbst auf 202 500 000 Pfd. St. geschätzt. In Shangay allein lässt sich aus den Zolleinnahmen eine Summe von 110 082 000 Taels berechnen. In der Nordamerikanischen Union betrug (vergleichungsweise) der Werth der Gesammteinfuhr 442 238 322 Dollar, der Gesammtausfuhr 440 838 834 Dollar (1867). Im Jahre 1863 belief sich (in Hongkong) die Zahl der

englischen	Schiffe	720	(eingelaufen)	Tonnen	472 125,	840	(ausgelaufen) Tonnen	471 949,
hanseatischen	„	262	„	„	74 046,	268	„ „	76 559,
deutschen	„	37	„	„	10 618,	39	„ „	10 147,
preussischen	„	25	„	„	12 640,	16	„ „	13 290,
österreichischen	„	8	„	„	2 010,			
französischen	„	50	„	„	32 988,	50	„ „	29 581,
americanischen	„	211	„	„	150 504,	206	„ „	162 985,

die Gesammtzahl der Schiffe des jetzt Deutschen Bundes also fast die Hälfte der englischen. Seitdem hat sich das günstige Verhältniss (da in der englischen Flagge Postdampfschiffe, Kriegsschiffe, Colonialschiffe u. s. w. eingerechnet sind) noch bedeutend gebessert. Vom 25. Mai bis 7. Juni 1870 z. B. stehen unter 68 eingelaufenen Schiffen: 17 des Norddeutschen Bundes notirt, 13 fremde (dänische, spanische, schwedische, französische, holländische); von 44 ausgelaufenen Schiffen: 18 deutsche (und 12 fremde), neben 14 englischen, dabei sind von den eingelaufenen Schiffen 28 an deutsche Firmen consignirt (gegen 38 an englische, portugiesische, americanische), von den ausgelaufenen 27 (gegen 15 an englische, portugiesische, americanische Firmen), die übrigen sind zur Ordre oder Postdampfschiffe.

2) Trotz vorläufiger Einleitung des diplomatischen Verkehrs wird noch lange Zeit darüber hingehen, bis das durch seine Geschichtsentwickelung sowohl wie durch religiöse und politische Anschauung weit abgetrennte China sich als gleichbürtiges Glied in die völkerrechtliche Familie Europa's und ihre auf zwanglose Reciprocität begründeten Rechtsusancen einreihen wird.

3) Die Aufstände der Dungenen im Westen, der Pansi im Süden, der Mongolen im Norden, der Nienfei (mit den im Osten nur durch fremde Hülfe unterdrückten Resten der Taiping) im Herzen des Reichs bilden die Vorläufer einer allgemeinen Umwälzung.

4) Ungeachtet ihrer alten Cultur können die Chinesen in völkerrechtlicher Hinsicht mit Recht als Barbaren nach dem frühern Sinn dieses Wortes bezeichnet werden. Trotz der Ehren, mit denen die chinesische Gesandschaft (unter der Führung jenes Amerikaners, den die englischen Localblätter China's den chinesischen Barnum zu schelten pflegen) bei den europäischen Höfen empfangen wurde, haben die in Peking seit lange ansässigen Gesandten Europa's noch nicht zur kaiserlichen Audienz zugelassen werden können, da es nur unter den Formen einer Tributdarbringung hätte geschehen können. Die bevorstehende Mündigwerdung des Kaisers wird wahrscheinlich neue Discussionen darüber hervorrufen.

5) In Staaten, mit denen ein auf dem Jus gentium basirter diplomatischer Verkehr unterhalten wird, wie in America und in den europäischen Colonien, genügt es, selbst die Consulargeschäfte durch Kaufleute versehen zu lassen. Wenn dagegen den in heidnischen (und von andern Grundsätzen des Völkerrechts geleiteten) Staaten lebenden Deutschen die Rechte der Exterritorialität zu Gute kommen, wenn sie im fremden Territorium als auf ihrem eigenen, also auf deutschem leben sollen, so ist die natürliche Pflicht des Mutterlandes, den auswärtigen Vertretern die Mittel zur Disposition zu stellen, um die ihrem Schutze Anvertrauten nöthigenfalls auch schützen zu können.

6) Man hat eingeworfen, dass eine Flottenstation Deutschlands nichts nütze, so lange es nicht eine maritime sei, während eben die Erwerbung jener und die Entwickelung dieser Hand in Hand gehen muss. Von einer Seeherrschaft, wie sie England lange übte und seiner, damals nothwendigen, Colonien wegen üben musste, kann nicht länger die Rede sein, und würde eine solche in einem Lande mit so geringer Küstenentwickelung wie Deutschland auch nie angestrebt werden können. Deutschland bedarf nur insoweit einer Vermehrung seiner Marine, dass sie mit der Grösse der hanseatischen Handelsflotte, die jetzt eine deutsche geworden ist, im richtigen Verhältniss steht. Wenn das geschehen, wird sie auch jeder andern gewachsen sein, selbst in gewisser Hinsicht der englischen, da die Hauptstärke derselben im Kriegsfalle durch die Beschützung der weit zerstreuten Colonien absorbirt werden würde.

7) Es ist eine sonderbare Argumentation, wenn man deshalb, weil bisher „nie“ eine Flottenstation nothwendig gewesen, auch ihr Bedürfniss für die Zukunft in Frage stellen will. Ebensogut hätte man die Einführung der Eisenbahnen und Telegraphen bekämpfen können, da es früher deren „nie“ gegeben habe, denn alle diejenigen Gründe und Ursachen,

die die Einführung einer Flottenstation nothwendig machen müssen, treten erst in dem gegenwärtigen Moment in Wirksamkeit. Vor 20 Jahren war der deutsche Handel in China, bis zur Colonisirung San Francisco's und der dadurch (Anfangs nach America, dann nach der gegenüberliegenden Küste Asien's) herbeigezogenen Schiffe, selbst die deutsche Rhederei so ziemlich gleich Null in Ostasien. Seine jetzt die allgemeine Aufmerksamkeit auf sich ziehende Entfaltung hat der fremde Verkehr erst seit etwa 10 Jahren, seit 1860 genommen, und muss von jetzt an, im Grossen und Ganzen (unbeschadet periodischer Vor- und Rückschritte) in geometrischen Progressionen beständig zunehmen. Für die riesigen Dimensionen, die hier gelten, können nur für den Tagespolitiker 10 kurze Jahre bereits eine Vergangenheit bilden. Der Historiker rechnet nach andern Zahlen und sucht die Zukunft in weitere Fernen mit seinem aus der Entzifferung der Vergangenheit geübten Auge zu durchschauen. Gewiss würde es für die deutschen sehr bequem, und vor Allem scheinbar sehr billig sein, den Handel wie früher unter englischem und französischem Schutz zu betreiben, denn wenn man meint, dass der deutsche Handel bisher geblüht habe, obwohl nicht geschützt, so wird das eigentliche Sachverhältniss völlig entstellt. Ohne den Donner der Kanonen wären die Schranken China's nie gebrochen, wäre ein europäischer Handel dahin nie möglich gewesen. In Folge gewisser, durch das Staatsherkommen im europäischen Völkerrechte bindenden Verpflichtungen wollten Engländer und Franzosen nicht verhindern, dass die ihnen aus dem Friedensabschluss fliessenden Vortheile nicht auch andern Nationen zu Gute kämen. Obwohl nun in ihren eigenen Colonien sich mit diesem Nichtwollen auch ein Nichtkönnen verbindet und europäische Colonialregierungen genöthigt bleiben, auch in ihren auswärtigen Häfen sämmtlichen Flaggen Gleichberechtigung zu gewähren (freilich oft ungern genug, da sie jetzt eben allein die Kosten der Unterhaltung tragen und alle übrigen Nationen gleiche Vorrechte geniessen), so würde sich bei späteren Verträgen mit China oder japanischen Machthabern (bei Erneuerung des Tractates von 1858) doch immer leicht genug ein Wortlaut finden lassen, wodurch denjenigen seefahrenden Nationen, die ihre Forderungen nachdrücklich zu stützen vermögen, gewisse monopolitische Vorrechte einer oder der andern Art zugestanden werden könnten. Wenn sich die hanseatischen Kaufleute unbeschadet ihrer nationalen Ehre bei allen solchen Gelegenheiten in's Schlepptau nehmen lassen konnten, so würde ein in Europa dominirendes Deutschland dadurch in Ostasien leicht in eine sehr schiefe Stellung kommen und nachher desto grössere Mühe haben, sich wieder aufrecht zu stellen. Seit einem lange vorausgesehenen und schliesslich unvermeidlich gewordenen Kriege, der auf's Neue alte Nationalantipathien wachgerufen und die seit einem halben Jahrhundert scheinbar geeinigte Völkerfamilie Europa's jetzt wieder tief zerspalten hat, können auch im Osten jene egoistischen Grundsätze mercantiler Monopolisirung wieder zur Geltung kommen, die während des Mittelalters jede fremde Flagge in dem dortigen Handel zu einer feindlichen machten. Dann würden alle jene exceptionellen Zufälligkeiten, wodurch der deutsche Handel obwohl an sich schutzlos, dennoch bisher sich scheinbar gesichert glauben konnte, aufhören und jener selbst sein Ende finden, wenn nicht durch die deutsche Seemacht unter seinem natürlichen Protectorat geschützt.

8) „Da es ein unbestrittenes Factum ist, dass von Deutschland und der Schweiz ein sehr bedeutendes Quantum chinesischer Rohseide von London bezogen', verarbeitet wird, steht sehr zu hoffen, dass dem deutschen Fabricanten und Seidenhändler ein Ausweg werde geboten werden, den Londoner Markt zu umgehen, wozu ihm, ausser der Ueberzeugung, dass ein regelmässiges Beziehen dieses Rohstoffes aus dem Productenlande ihm ein günstigeres Resultat liefern muss, als indirecte Beziehungen von London, nur die billigen Coursverhältnisse fehlen, welche der Engländer durch sein Haus in London und der Franzose jetzt durch das Comptoir National d'Escompte geniesst." (1861) Handelsarchiv.

9) Die Befürchtung, dass die genügende Matrosenzahl für Bemannung einer vergrösserten Flotte mangeln werde, ist keine ernstliche, denn wofür sich Nachfrage zeigt, dafür findet sich auch ein Angebot. So lange die maritimen Interessen Deutschlands sich nur innerhalb der Mauern der Hansestädte und auf ihrem beschränkten Aussen-Areal bewegten, blieb die Zahl der jungen Leute, in denen Lust und Liebe zum Seemannsstande erweckt wurde, in Deutschland eine geringe. Verbreiten sich aber die Sympathien für einen Gegenstand, an dem das ganze Deutschland fortan gleiche Interessen hat, auch über die gesammte Bevölke-

tung desselben, so würden sich innerhalb derselben Candidaten genug finden, wie selbst in der nordamerikanischen Union, wo bei dem noch jungfräulichen Lande jeder Arm genügende Beschäftigung im Lande finden könnte, dennoch die Söhne der Hinterwäldner nach den Häfen ziehen, um sich auf der Flotte einreihen zu lassen. Die grosse Zahl der Deutschen, die ausserdem auf americanischen Kriegsschiffen dienen, würden leicht genug für unsere eigenen zu gewinnen sein, und bei den deutschen Küstenfahrern in Ostasien dürfte sich mit der Zeit der den englischen Country-ships in Indien schon längst geläufige Ausweg bieten, einheimische Bemannung aus Lascars und Malayen zu recrutiren, so dass dadurch eine bedeutende Zahl deutscher Matrosen frei und für die Flotte disponibel werden würde.

10) Remarkable as was the development which took place in 1868, that of the present year is infinitely more surprising, the transit of Cotton Goods to the interior having risen from 82 861 pieces last year to 433 342 pieces in 1869. Schon 1861 heisst es im Handelsarchiv: Der Absatz von Spanish Strips, Hohl- und Fensterglas ist durch den enormen Aufschwung, den Shangay in commercieller Beziehung genommen hat, seit 1849 bis 1850 verzehnfacht (in den letzten 5 Jahren).

11) Dass die in China ansässigen Kaufleute sich besondere Mühe hätten geben sollen, das deutsche Binnenland aufzuklären, ist in keiner Weise von ihnen zu erwarten, denn bei der mehr oder weniger eximirten Stellung, die sie einnehmen, ist es schliesslich für sie gleichgültig, ob sie das Geld von und für Engländer verdienen, oder zugleich dem Besten Deutschlands Rechnung tragen, und der bisherige alte Weg wird im Allgemeinen eher als der bequemere, der vorzuziehende scheinen. Einer der entschiedensten Gegner der deutschen Machtentfaltung zur See characterisirt die von ihm und seinen Gleichgesinnten eingenommene Stellung sehr treffend in folgenden Worten (dass der Kaufmann, der Natur seines Geschäfts nach, Kosmopolit sein müsse): Seine Aufgabe ist es und muss es sein, möglichst mit aller Welt in Frieden zu leben, weil er in allen Dingen des Vertrauens und möglichst allseitigen Entgegenkommens für den Erfolg seiner Unternehmungen nothwendig bedarf. Es gilt dies für die Betreibung des kaufmännischen Geschäfts in den kleinsten, wie in den grössten Verhältnissen, und jeder Kaufmann, trotzdem er ein eifriger Anhänger der Nationalität, der er angehört, sein kann, welcher aber diesen Gesichtspunkt nicht im Auge hält und nach demselben verfährt, wird es zu beklagen haben. Dem Kaufmann zumuthen zu wollen, dass er aus nationalen und patriotischen Rücksichten wissentlich gegen sein erlaubtes Interesse handeln solle, hiesse daher geradezu etwas Unvernünftiges von ihm verlangen". Das sind sehr verständige und wohldurchdachte Grundsätze der alten Hansepolitik, die von vornherein, seit durch Deutschlands Uneinigkeit ihre einst gebietende Macht gebrochen war, darauf zu verzichten hatte, etwaige Rechte mit früherer Waffengewalt durchzusetzen und die deshalb fortan mit dem Hut in der Hand durch die Welt zu kommen suchen musste. Wenn sich in Hamburg auch heute noch Vertreter dieses Gesichtspunktes fanden, so ist dagegen Bremen seit dem ersten Aufschwunge 1866 gleich mit der neuen Bewegung Deutschlands im vollen Bewusstsein seiner Tragweite vorwärtsgegangen. Die Einhaltung der obigen Maximen würde die deutschen Kaufleute in Ostasien in dieselbe Stellung bringen, wie sie dort die armenischen Kaufleute, und im Mittelalter die Juden in Europa, einnehmen, und der Einzelne würde gelegentlich nichts dagegen haben, weil gerade in solcher halbgedrückten oder selbst unterdrückten Stellung manchmal am besten verdient wird. Eben so gewiss aber ist es, dass bei dem schroffen Antagonismus, den das Festhalten solcher Anschauungen zu der jetzigen Entwicklung des Nationalgefühls bilden würde, ihr Festhalten gerade die allerbedenklichsten Conflicte (und unzweifelhaft in allerbedenklichsten Momenten) herbeiführen müsste. Schwankende Halbheiten bringen stets in Gefahr, und wer blind die Augen dagegen schliesst, hat später am theuersten zu zahlen. Obwohl es deshalb gelingen mag, dem Grundsatze von der Unverletzlichkeit des Privateigenthums zur See allgemeine Anerkennung zu verschaffen, so würde der wirksame Schutz der deutschen Interessen in Ostasien nichtsdestoweniger die Besetzung eines festen Punktes verlangen, um denselben auch in solchen Zeiten Schutz gewähren zu können, wenn europäische Conflicte die Communicationen mit dem fernen Mutterlande erschweren oder ein momentan rasches Eingreifen erfordert wird. Im Uebrigen haben sich unsere deutschen Kaufleute, so oft es mehr zu handeln als zu reden gab, stets als die besten Patrioten gezeigt, in Hamburg nicht weniger als in Bremen, und

gerade die rückhaltlose Offenheit, mit der sie die angeführten Grundsätze aussprechen, zeigt, dass sie von der Aechtheit ihrer nationalen Gesinnung, wenn es darauf ankommen sollte, so sehr überzeugt und durchdrungen sind, um auch von Anderen keine Missdeutungen zu fürchten.

12) Die deutsche Bauwollen-Industrie wird dann in erhöhtem Maasse wiedergewinnen, was augenblicklich durch den sinkenden Handel mit America sich zu vermindern beginnt, wie Engel (Die Baumwollen-Industrie in den Vereinigten Staaten von Nordamerika) ausgeführt hat, und im Hinblick auf die Belebung einheimischer Fabrication wird das Binnenland gern bereit sein, die für Erhaltung einer Colonie nothwendige Steuervermehrung zu tragen, die keineswegs (wie Einige meinen) nur einem Theil der Rhederei zu Gute kämen, sondern den Kaufleuten weit weniger, als den Producenten.

13) Die Americaner, die vielfach in der letzten Zeit nach einer Station (auf Formosa und anderen Punkten) gesucht haben, konnten diese Schwierigkeit ebenso wenig überwinden. Auch sonst würde der zu Zeiten gehörte Einwurf, dass, weil die Union einer Flottenstation in Ostasien entbehre, Deutschland ebensogut derselben entrathen könne, kein zutreffendes Argument bilden. Abgesehen von Hawaii, das fast als nordamericanische Dependenz zu betrachten ist, und den Benininseln, wo sich Californier (und Hawaier) angesiedelt, oder der Vitigruppe, wo bereits fester Fuss gefasst wurde, liegt überhaupt America seit dem Aufblühen San Francisco's bereits an der Küste des stillen Oceans, und die durch die Dampfschiffe immer mehr verminderten Entfernungen kommen hier, wo es nur ein weites Meer zu durchkreuzen giebt, weit weniger in Betracht, als auf der Fahrt von Europa nach Asien (ob um das Cap oder durch das Rothe Meer), die Vorgebirge oder Landengen, die zu passiren sind, und als Auflauerungsplätze dienen würden.

14) La Cochinchine est vraiment une contrée privilegiée du ciel, bemerkte Malte-Brunn (1807) bei der Herausgabe von Barrow's Reise, und fügte gegen dessen an seine Landsleute gerichtete Ermahnung, die Wichtigkeit dieses Landes (auf die schon damals Frankreichs Augen gerichtet waren) zu beachten, hinzu: Si l'Angleterre déjà surchargée de colonie peut tirer de si grands avantages du commerce de Cochinchine, certes, les avantages se doubleraient et se tripleraient pour des pays, comme, par exemple, la France ou le Danemark, qui n'ont peut ou point d'établissement hors de l'Europe.

15) Im Budget der Marine und Colonien für 1869 figuriren die auf Cochinchina bezüglichen Ausgaben mit 5 512 247 Francs.

16) En venant planter son drapeau sur le sol de la Cochinchine, la France a eu la main heureuse (Jacques Siegfried). Our luck has been great in conquering so much in Cochinchina, after having lost so much in the Indies (De Beauvais). La colonisation de la Cochinchine peut être considerée comme l'un des plus brillants resultats, qu'ait obtenus la politique (Francis). Frankreich, das weder zu colonisiren noch zu handeln versteht, ist nur durch die aggressive Politik seiner Missionaire in die ostasiatischen Händel hineingezogen worden, und auch in der letzten Augustnummer der Revue des deux Mondes wird es ausgesprochen, dass Frankreich durchaus keine factischen Interessen (keine, die einen materiellen Ersatz für die aufgewendeten Kosten versprächen) in China zu vertreten habe. Dennoch aber hat der französische Handel in Ostasien seit der Besitzergreifung Saigons einen proportionell enormen Zuwachs erhalten und ist im vorigen Jahre von 6 Millionen Franken in 1860 auf 100 Millionen gestiegen.

6 000 000 Francs 1862,
28 000 000 „ 1863,
65 000 000 „ 1865,
100 000 000 „ 1867 (Einfuhr) und 22 122 000 Ausfuhr (von Frankreich).

17) Die gefahrlose Navigation des Donnay, die leichte Vertheidigungsfähigkeit der Station ist von Autoritäten der Marine dargelegt, und wenn die Lage am Flusse aufwärts für einige Gesichtspunkte nachtheilig scheint, ist sie für andere Zwecke umgekehrt förderlich. Die Gefährlichkeit Saigons in feindlichen Händen bei einem Kriege ist für jeden mit der Schifffahrt in den dortigen Gewässern und den derselben durch Naturverhältnisse vorgeschriebenen Wegen Vertrauten deutlich genug.

18) Die Annamiten haben sich allerdings (durch die französische Kriegführung belehrt)

schliesslich selbst als gute Soldaten gezeigt und anstellig für den Kriegsdienst wie für alles Andere, bleiben aber (obwohl sie unter den Nachwehen der bisherigen Kriege manches Contingent zu den Räubereien geliefert haben, wie auch die Chinesen) im Grunde durchaus friedlicher Natur und arbeitsam. Les Annamites, bien différent de leurs voisins de l'Inde, de la Malaisie et de la Peninsule ont l'habitude et l'amour du travail.

19) The climate of Saigon, though much complained of, appears to ressemble that of Rangoon, which is known to be good. The soil is laterite, which is generally a healthy surface (Friend of India). Aubaret, der sich durch seine Werke über Unter-Cochinchina als einer der besten Kenner dieses Landes erweist, meint, dass das Klima „est probablement l'un des plus sains parmi les pays intertropicaux." Nous pensons que le climat dont on se fait un épouvantail n'est pas plus malsain que celui des autres colonies et que avec une bonne hygiène, on peut vivre parfaitement en ce pays (Gimelle).

20) Sollte das untere Cochinchina in deutschen Besitz gelangen, so würde man sich für die nächste Zeit allerdings auf eine Fluth von Klagen gefasst zu machen haben, indem der dortige Aufenthalt mancherlei bietet, was den neu ankommenden Europäer zurückzuschrecken pflegt. Da indess die dort aufstossenden Unannehmlichkeiten in ihrer Gesundheitsschädlichkeit kaum bedeutender sind, als viele mit heimischen Gegenden verknüpfte, so werden sie mit einiger Gewöhnung bald ertragen werden, wenn der Beschluss der Erwerbung dieser Station im vollen Verständniss ihrer Bedeutung für Hebung des deutschen Nationalwohlstandes gefasst wird.

21) Durch seine steinig trockene Felsnatur schien Hongkong den directesten Gegensatz zu den wegen ihrer Malarien verrufenen Niederungen bieten zu müssen, und dennoch hat sich anfangs die Mortalität dort in schreckbarerer Form gezeigt, als kaum irgendwo sonst. Auch jetzt, wo längst bedeutende Verbesserung eingetreten ist, schwanken in den Aufstellungen von 1858—1868 die Zahlen zwischen 1,99 pCt. und 7,52 pCt.

22) Diseases produced by malaria and by mitigable or removable conditions, local and personal, are in reality the causes of the high death-rate in the Indiane army (Sutherland). Nach Redford ist die Hälfte der Krankheitsfälle (in der gemischten Bevölkerung Chittagong's) durch Vorsichtsmassregeln zu vermeiden.

23) Auch im Civildienst dürfte es an passenden Kräften nicht mangeln, wie es der englische Beamtenstand in Ostindien bezeugt, der an Tüchtigkeit keinem nachsteht, und viele übertrifft.

24) Der mit dem Range eines Tam-tri in Binh-tuan befehligende Mandarin hatte am 16. November 1868 eine Audienz bei dem Gouverneur, um demselben die goldene und silberne Medaille des Königs Tu-duc zu überbringen unter neuen Freundschaftsbezeugungen.

25) Die bereits in Cochinchina bestehende Einrichtung der Dondien oder Militaircolonisten, würde vielleicht einen guten Ausgangspunkt für solche Einrichtungen bilden.

26) Saigon est maintenant un marché ou il se fait pour 80 Millions d'affaires par an (20. juillet 1867). Ce résultat considérable n'est que l'avant-courreur d'un succés bien plus important.

Werth der Ausfuhr 89 399 000 Francs } 1866.
Werth der Einfuhr 39 431 675 „ }

27) Die Reisausfuhr hat im letzten Jahre um 50 000 000 *kg* zugenommen. Der Hafen wurde von 336 fremden Schiffen besucht. In den Schiffen des Jahres 1868 finden sich 140 englische, 88 deutsche, 87 französische (grösstentheils Regierungsschiffe oder durch die speciellen Bedürfnisse der Colonie veranlasst), 9 holländische, 8 amerikanische. Das China-Singapore-Geschäft wird hauptsächlich von Chinesen gemacht. Von der grossen Reisausfuhr nach Japan in diesem Jahre (woran Europäer betheiligt sind) fällt ungefähr ein Drittel der Gesammtheit auf ein einziges der deutschen Häuser.

28) Den gehofften Eintritt nach Yünnan und West-China wird der Mekong ebensowenig gewähren können, wie der Salwehn, aber dagegen der Irawaddy von Bhamo aus oder direct der Sangkoi in Tonquin.

29) Die erneute Wichtigkeit zeitweis gleichgültig gewordener Localitäten oder Institutionen zeigt sich seit der Eröffnung des Suezkanals in der Befahrung des Rothen Meeres, das im

Alterthum und Mittelalter für den indischen Handel von höchster Bedeutung, dann für eine ganze Periode völlig nebensächlich geworden war.

30) Eine Besitzergreifung Deutschlands im Osten wäre durch seinen Handel dorthin nicht nur gerechtfertigt, sondern wird im Grunde durch die Ausdehnung desselben schon längst verlangt. Die Franzosen, wie sie es selbst erklären, waren nach Cochinchina, erst nach Turon und dann nach Saigon nur geführt worden, um ihre Dignität zu wahren, aber dennoch haben die aus solchen Hinsichten getroffenen Massregeln bereits eine günstige Rückwirkung materiellen Nutzens gehabt. Il est encore des personnes qui s'inquiètent de savoir, si la Cochinchine sera utile à la France, elles n'ont qu'à s'informer dans nos ports et elles apprendont que cette colonie, née d'hier, a reçu cette année (1867), non compris les paquebots, 74 navires français, représentant une valeurs de près de 20 Millions, qui probablement n'auraient pas été armés, et qui peut-être même n'auraient pas été construits, si l'on n'avait fait l'expedition de Cochinchine (Courier de Saigon). On est déjà bien loin de l'unique bâtement, qui representait notre commerce dans les mers de Chine en 1849.

Französische Schiffe	eingelaufen		ausgelaufen	
Französische Schiffe	39 (10)		37	
englische	32		35	
hamburgische	22	35	26	39
bremische	4		4	
preussische	4		4	
hannöversche	5		6	
dänische	28		27	
holländische	7		6	

Les paquebots des Messageries impériales figurent pour 13 entrées et 13 sorties, 16 navires français et un anglais sont arrivés chargés en totalité ou en partie pour l'Etat. Erstes Semester 1864.

	eingelaufen		ausgelaufen		
Amerikanische Schiffe	10		9		
englische	142		141		
französische	98		104		(mit Einschluss der Postdampfer und Regierungsschiffe).
spanische	4		4		
holländische	32		31		
italienische	1		1		
russische	1		1		
dänische	5		5		
hamburgische	53	88	52	87	
bremische	14		11		
hannöversche	2		2		
preussische	19		17		
österreichische	6		6		

October 1866—October 1867. Im ersten Trimester stehen 35 und 35 deutsche gegen 23 und 22 französische.

	eingegangen		ausgelaufen	
Engländer	30		29	
Amerikaner	2		2	
Franzosen	20		16	
Holländer	3		3	
Italiener	1		1	
Schweden	1		1	
Dänen	3		1	
Hamburger	16	40	13	31
Bremer	8		5	
Preussen	16		13	

October (1867) bis Januar 1868 (in Saigon).

	eingegangen		ausgelaufen	
Engländer	43		44	
Franzosen	22		23 (v. u.)	
Amerikaner	1		1	
Dänen	1		3	
Holländer	3		2	
Schweden	1		1	
Russen	1		—	
Oldenburger	1		1	
Hamburger	10	21	11	25
Bremer	5		6	
Preussen	6		8	

Januar-April 1868.

31) Drei Inseln des Archipel stehen unter dem Protectorat, mit 11 der Marquesas,

2 von Tubuai und 80 von Paumotu. Für die Fischerei von Wichtigkeit sind die französischen Inseln St. Pierre und Miquelon bei New-Foundland.

32) Malheureusement la France (distraites par la guerre civiles, religieuses et étrangers) est arrivée trop tard dan ces parages, où elle s'est laissée devancer par les Anglais et les Hollandais (bemerkt Jules Duval), wenn es nicht den glücklichen Treffer gehabt hätte, noch schliesslich Saigon zu besetzen. Indess verhält sich die Gesammtstimmung in Frankreich ziemlich kühl gegen Saigon, da das reelle Interesse (das für Deutschland bereits vorliegt) erst im Entstehen begriffen ist, und deshalb würde, nach Ansicht Einiger, ein auf Abtretung Saigon's gestelltes Verlangen, in Compensation für drückendere Bedingungen, die Friedensverhandlungen vielleicht eher erleichtern.

33) Die dänische Besitznahme war kaum je eine factische und die englische wurde neuerdings nur durch die dort verübten Piratereien veranlasst. Die Andaman wurde nach Unterdrückung des indischen Aufstandes zum Deportationsort benutzt. Bei der Novara-Expedition sind die Gruppen der Natunas-, Anambas- und Tambelan-Inseln (neben dem Salomon-Archipel) als Colonisationspunct in Vorschlag gebracht.

34) Die Angelegenheit einer deutschen Flottenstation in Ostasien ist durchaus unabhängig von der weiteren Frage, ob darauf hinzuwirken sei, dass Saigon zur Realisirung derselben erworben werde. Handelt es sich um die Nothwendigkeit der ersteren, so muss die Antwort unbedingt bejahend ausfallen. Die Erörterung dagegen, ob die Abtretung der französischen Colonie Saigon in die Friedensbedingungen aufzunehmen sei, gehört ganz der Politik an und entzieht sich bei dem augenblicklichen Stande der Dinge überhaupt jeder Entscheidung. Es lässt sich nur sagen, dass diese europäische Besitzung eine der günstigst gelegenen in den dortigen Meeren, und dass für eine neue Erwerbung in denselben wenig mehr vorhanden ist. Die Tschusan-Inseln, die empfohlen sind, gehören China an, mit dem Verträge bestehen, wie mit Japan und mit Siam, dem einzigen Staate Hinterindiens, der noch von europäischer Einmischung frei geblieben ist. Die Häfen der Ostküste Malacca's wo sich unter den halbunabhängigen Malayenfürsten vielleicht Erwerbungen machen liessen, sind den jetzigen Dimensionen der Kriegsschiffe wenig angemessen, und wenn Holland, wie es mitunter heisst zu Cessionen bereit ist, so würde es von seinen Inseln doch schwerlich die besseren abgeben. Korea ist noch geschlossen, und könnte nur durch eine zu solchem Zweck ausgerüstete Expedition geöffnet werden, in Tonkin hätte man gleichfalls einen hartnäckigen Widerstand zu gewärtigen, und da Formosa ebensowohl wie die Sulugruppe sich als unbrauchbar erwiesen, das wehrlose Völkchen der Lieu-kieu-Inseln wieder durch stillschweigende Uebereinkunft verschont zu bleiben scheint, so würde wahrscheinlich die Erwerbung einer deutschen Flottenstation noch für länger hinaus im Reiche der frommen Wünsche verbleiben, wenn sie nicht durch einen Zufall oder durch die Benutzung einer günstigen Gelegenheit verwirklicht wird.

Die Gesellschaft für Erdkunde hat ihre Pflicht gethan. Sie hat damals, als die letzte Möglichkeit practischen Angriffs für Begründung eines deutschen Colonialreiches vorlag, im nationalen Interesse darauf hingewiesen[1]),

1) Sitzung December 3., 1870 (S. 91) und Sitzung Januar 7., 1871 (S. 95). Siehe Zeitschrift der Gesellschaft für Erdkunde VI, S. 91 und 95. Als nachträglich deutbares Omen mag es gefasst werden, dass derjenige Name, der Africa jetzt in colonialen Erwartungen durchklingt, damals als solche in der Sitzung der Geographischen Gesellschaft (für einen andern Theil der Erde) zur Aeusserung kamen, von ersten Erfolgen sprechen liess auf ruhmvollster Bahn in africanischer Entdeckungsgeschichte.

Es heisst im Sitzungsbericht (December 3, 1870): „Der Vorsitzende, Herr Bastian, theilt zunächst mit, dass Dr. Nachtigal, mit den Geschenken des Königs, in Kuka beim Sultan Omar eingetroffen und von demselben empfangen sei“. Dann folgt der Vorschlag für die Broschüre, welche in der nächsten Sitzung (Januar 7, 1871) überreicht wird, unter dem Titel: „Deutschland's Interessen in Ostasien“.

obwohl nur bis an die Grenze politischer Agitation, worin einzutreten ihre Statuten und rein wissenschaftliche Aufgaben mit Recht verbieten.

Als andere Rücksichten dem obigen Vorschlag keine Verfolgung gestatteten, wandte sie sich Africa zu, und was in damaligen Aufrufen zur Begründung einer Africanischen Gesellschaft (1872) als Hoffnung ausgesprochen war, beginnt sich jetzt zu verwirklichen, indem die vor Jahren ausgestreuten Keime allmählig heranreifen, mit Pogge's Fixirung des Muata-Yamvo (1877) und Wissmann's Durchquerung des Continents, für fernern Erfolg in der jetzt ausgesandten Expedition (1884).

So hiess es im ersten Aufruf (S. 2):

— —

— —

Die auf Erschliessung Afrika's gerichteten Forschungen erhalten ihre besondere Weihe dadurch, dass in begeisterter Hingabe an dieselbe stets eine freiwillige Schaar sich ihren Zwecken zu widmen pflegte, und solche von Wissensdrang allein gelenkten Bestrebungen hat unser Volk von jeher vornehmlich als die ihm im Wettstreit der Nationen zugefallene Aufgabe anerkannt.

Was indess derartig Bemühungen vermögen, kommt, wie der Wissenschaft einerseits, so auf der andern dem Handel und der Industrie zu Nutze, denn die Geographie steht auf einer Vermittelungslinie zwischen dem theoretischen und practischen Leben. Die Wege, die ihre Pioniere erschliessen, führen früher oder später zu Verkehrsmärkten, nach denen bald der Kaufmann folgt und auf denen sich im betriebsamen Austausch neue Erwerbsquellen erschliessen. In umsichtiger Verwerthung der von der Geographie gebotenen Hülfsmittel ist der mächtige Welthandel erwachsen, der Welthandel, der England's Grösse schuf, und der neben englischer, besonders von deutscher Thätigkeit getragen wird, wie auf dem Felde der Entdeckungen gleichfalls Deutschland und England gemeinsamen Zielen entgegenstreben.

— —

— —

Zweiter Aufruf (S. 4.):

— —

— —

Die Geschichte der Entdeckungen geht ihrem Ende entgegen, immer weiter, immer unaufhaltsamer dringt der Fuss kühner Pioniere vor, und von dem früher für unzugänglich, für unnahbar gehaltenen Territorien schliesst sich jetzt eins nach dem andern auf, selbst in dem Continent Afrika, gegen den seit ältesten Zeiten die Angriffe hauptsächlich gerichtet waren, und der denselben bis dahin stets zu spotten geschienen.

Hier indess bleibt vorläufig noch Arbeit genug übrig zu thun, hier harrt noch ein reichster Lohn denen, die sich darum bemühen, und hier kann jetzt Deutschland nachträglich den ihm gebührenden Antheil an der

Entdeckungsgeschichte gewinnen, wenn es die gegenwärtig gebotene Gelegenheit ergreift.

— —

— —

Fünfter Aufruf (S. 8):

— —

— —

Zwei Nationen sind es vor Allem, die um Afrika's wissenschaftliche Eroberung als friedliche Rivalen mit einander wetteifern, die englische und die deutsche. Durch englische Thätigkeit und englisches Gold ist jetzt der Osten in weiten Strecken erschlossen. Kommen wir deshalb auf deutscher Seite vom Westen her entgegen, um — — — — — — — — — — — —

— —

Correspondenzblatt der Afrikanischen Gesellschaft, Nr. 1 (1873).